Het mysterie van de Nachtwacht

Van dezelfde auteur

Caribisch complot

Bezoek onze internetsite www.awbruna.nl
voor informatie over al onze boeken en dvd's.

Havank Ross

Het mysterie
van de Nachtwacht

A.W. Bruna Uitgevers B.V., Utrecht

© 2010 Tomas Ross
© 2010 A.W. Bruna Uitgevers B.V., Utrecht

Omslagontwerp
Dick Bruna

ISBN 978 90 229 9594 5
NUR 332

Dit boek is gedrukt op papier dat het keurmerk van de Forest Stewardship Council (FSC) mag dragen. Bij dit papier is het zeker dat de productie niet tot bosvernietiging heeft geleid. Een flink deel van de grondstof is afkomstig uit bossen en plantages die worden beheerd volgens de regels van FSC. Van het andere deel van de grondstof is vastgesteld dat hiervoor geen houtkap in de laatste resten waardevol bos heeft plaatsgevonden. Daarom mag dit papier het FSC Mixed Sources label dragen. Voor dit boek is het FSC-gecertificeerde Munkenprint gebruikt. Dit papier is 100% chloor- en zwavelvrij gebleekt en wordt geleverd door Arctic Paper Munkedals AB, Zweden.

In herinnering aan Joke Meijer die het helaas niet meer kon redigeren

1

Rechtsaf naar Parijs was het nog 210 kilometer, linksaf naar Sainte Chatelaine slechts 7.

'Wat, *darling*,' zei Eleonora, 'zou je ervan zeggen als we een half-uurtje zouden stoppen? Neuzen poederen en handen wassen en zo?'

'*Bon* idee,' knikte de Schaduw. 'Vooral dat en zó. Want zoals het Bijbelwoord zegt, "Mij dorst", en hetzelfde geldt als ik 't goed zie voor de Bentley. En verder ben ik benieuwd wat de Heilige Katelijne ons nog meer te bieden heeft.'

Waarop hij de Bentley Continental naar links draaide, een weg-getje op door 't Noord-Franse koren, waarboven kraaien zwierden en nog hoger de zon als een oververhitte kookplaat blikkerde. Wat Eleonora deed opmerken dat het evengoed Provençaals koren kon zijn, zo ergens in de buurt van Arles en dan geschilderd door Van Gogh. Wat de Schaduw instemmend deed verzuchten dat 't alle-maal mooi en aardig en allemachtig interessant was geweest, dat weekje tussen de *lochs*, kilts en doedelzakken in haar vaderland, en zo ook het afgelopen weekeinde bij de Uyttenbogaerts in Amster-dam, maar dat er toch niets boven die Provence ging, en dan vooral niet boven 't klokje thuis in Villa des Ombres, en zéker niet als dat klokje naar de vijf tikte en 't dus tijd was voor een gekoelde Font-creuse op het beschaduwde terras.

Waarop Eleonora zei dat hij niet moest zeuren, want dat hij straks in Parijs en in alle ledigheid genoeg Fontcreuse kon drinken. Zodat de Schaduw al omstandig wilde uitleggen dat ledigheid en drinken zijns inziens een contradictio in terminis was, maar zijn mond hield vanwege een kruising met een brede, geasfalteerde weg. Waarboven een bord meldde dat het vandaar nog 5,7 kilometer naar Ste. Chate-laine was. En bovendien naar een wegmotel annex casino. Maar rechtdoor, waar het weggetje een dicht en donker bos in verdween, was 't 6,7.

"'k Zou het asfalt nemen,' zei Eleonora. ''t Is korter, makkelijker en bovendien zijn we vanaf dat motel zo weer terug op de Route National.'

En ze zuchtte, want de Schaduw manoeuvreerde de Bentley het weggetje al op dat steil tussen het geboomte omhoog voerde.

'Ook al zo Bijbels, nietwaar?' zei de Schaduw. 'Enerzijds de brede weg vol verlokkingen en aardse geneugten, die echter onvermijdelijk naar een zekere plaats voert waar 't ongenadig heet is en tanden worden geknerst, anderzijds 't doornige en stenige pad, vol hinderlagen en verschrikkingen, waar aan 't eind de vermoeide reiziger grazige weiden en even welgevulde maagden als roemers wachten mits hij onderweg tenminste niet het ravijn in dondert...'

Waarop hij vloekend remde om een omgevallen boom te vermijden, rakelings langs een puntig rotsblok scheerde en hobbelend tussen reusachtige varens en scheefstaande boomstammen het weggetje volgde dat als een aan kolieken lijdende boa constrictor verder kronkelde. Tot hij zwetend en zwoegend opnieuw het rempedaal instampte.

'O mijn god!' zei Eleonora.

'Wat,' zei de Schaduw terwijl hij de Bentley behoedzaam de steile helling liet afdalen, meer dan toepasselijk was. Want tussen helrode pannendaken beneden hen priemden twee kerktorens hemelwaarts als de armen van een smekeling die om Gods genade bad. Al deden ze de Schaduw meer denken aan de hoog geheven van een stuk gajes dat zojuist op heterdaad was betrapt.

'Een kathedraal,' zei Eleonora verwonderd. 'Hier? Heb je ooit weleens van dat Sainte Chatelaine gehoord, darling?'

'Kan 't me niet herinneren,' zei de Schaduw, 'en dat terwijl ze toch zo hun best doen, wat.' En hij knikte naar een bord waarop stond dat Sainte Chatelaine '*un des plus beaux villages de la France*' was dat vriendschapsbanden onderhield met het Duitse Gradenfürthschein, met het Belgische Dekeuckele en met het Poolse Zlot en bovendien ook nog eens '*Commune d'Europe*' was.

'Kijk er dus niet van op, *chérie*,' zei de Schaduw, 'als de Maagd van Orléans er is geboren, Napoleon er de geest liet en De Gaulle er in Hotel de la Poste persoonlijk Adolf Hitler heeft gearresteerd terwijl

Rabélais er *Pantagruel* schreef, en liefst alle vier tegelijk.'

Een klein kwartier later stuurde hij de Bentley door een uitgestorven straatje dat uitkwam op de onvermijdelijke Place de la République. Gedomineerd door het al even onvermijdelijke pompeuze monument ter nagedachtenis aan WO I en WO II dat de Schaduw, ook al zo onvermijdelijk, deed uitbarsten in een jubelend '*Allons enfants de la patrie, le jour de gloire est arrivé*!' Waarop Eleonora hem vroeg of 't wat minder kon en dat 't wel meeviel met die 'enfants de la patrie' omdat 't vooral Britten waren geweest op die 'jour de gloire' en met name háár landgenoten, de Schotten.

'Zeker,' zei de Schaduw, 'maar als niet ooit in 1066 een zekere Willem vanuit Normandië...'

En zweeg, want voor hen rees de kathedraal zo hels wit blakerend op dat het pijn deed aan de vermoeide ogen.

'Prachtig!' zei de Schaduw.

'Vind je?' zei Eleonora sceptisch, maar begreep dan dat hij doelde op een terrasje in de schaduw van de kathedraal. Waar niemand zat, zoals er ook geen levende ziel op het pleintje te bespeuren viel.

'Drank!' zei de Schaduw. 'Schallend, lallend vochtfestijn want *Mon Dieu*, wat is 't heet!'

Galant als altijd opende hij haar portier en wilde haar al voorgaan naar het terrasje toen iemand achter hem vrolijk zei: '*Bonjour madame.*'

Hij draaide zich om en zag een jonge priester uit de kathedraal op hen toe komen.

'*Bonjour monsieur.*'

De Schaduw knikte, verwonderd over de jeugdige leeftijd van de ander. 'Bonjour, *mon père.*'

'Waarmee kan ik u van dienst zijn?'

De Schaduw fronste. 'Eerlijk gezegd, eerwaarde, wilden wij eerder onze lichamelijke dan geestelijke dorst lessen.'

'*Bien sûr!*' lachte de priester, 'maar madame Mimi, de eigenaresse, is vanwege een gebroken kuit naar het ziekenhuis in Arras. En 't is weer eens wat anders dan wijwater bijvullen of de wijn ontkurken voor het Heilig Avondmaal.'

'Ah,' glimlachte de Schaduw en keek naar Eleonora. 'Een droge witte wijn, chérie?'

Ze knikte. 'Zou ik mijn handen ergens kunnen wassen?'

'Natuurlijk madame.' De priester hield de deur van het cafeetje voor haar open. 'Maakt u maar gebruik van madame Mimi's privé-toilet, het trapje op achter de bar. En wat mag ik u inschenken, monsieur?'

'Een glas bier,' zei monsieur. 'Van de tap. En graag zo groot en zo vol mogelijk.'

Hij nam plaats onder een kleurige parasol, lichtte de strooien hoed van het bezwete hoofd, haalde zijn sigarenkoker tevoorschijn en stak na het bekende ritueel van ruiken, zachtjes knijpen en bevochtigen de brand in een kostelijke Willem II Nobel. Tegenover hem dommelden de huisjes beschaduwd door schilferige platanen; een *boulangerie* met gesloten luiken, een *charcuterie*, een *épicerie*, een casino, een *Maison de la Presse*. Kortom, vond de Schaduw, Ste. Chatelaine was een van die duizenden Franse stadjes en dorpen waar de tijd al eeuwen stilstond en vooral tussen één en halfvier 's middags.

'*Et voilá*, monsieur.' De priester zette een glas witte wijn en een koud parelend glas schuimend bier neer en bleek zelf een Ricard te hebben genomen. 'Komt u helemaal uit de Var?'

'Nee,' zei de Schaduw verbaasd, 'uit Nederland...' en begreep toen dat de ander het nummerbord van de Bentley moest hebben opgemerkt.

'Een prachtige auto,' zei de priester. 'Een S2 Continental 1953, is het niet?'

'Ah!' zei de Schaduw, 'u bent een kenner, mon père!'

'Mijn grootvader had er zo een. Hij was Engelsman, ziet u. Een van de eersten die in Normandië voet aan wal zetten onderweg naar Berlijn, en nog diezelfde dag ontmoette hij mijn grootmoeder.'

De Schaduw knikte begrijpend en nam gulzig een slok verkoelend bier.

'*La femme ou la guerre*,' zei hij. 'Al zijn er die 't lood om oud ijzer vinden.'

'Ja,' lachte de priester, 'maar 't werd daarentegen "*la femme ou le Bentley*" want volgens mijn grootmoeder wóónde opa er zowat in en, sterker, hij stierf er ook in.'

'Ach,' keek de Schaduw op. 'En hoe kwam 't?'

'Hij verloor de macht over het stuur tijdens de veertigjarige herdenking in 1984, op dezelfde klifkust niet ver van waar hij die vroege ochtend in 1944 aan land was gekomen.'

'Merkwaardig,' zei de Schaduw.

'Niet,' zei de priester, 'als u bedenkt dat hij na vijf dubbele whisky's meende weer door de moffen achterna te worden gezeten.'

'Zo,' zei de Schaduw, 'als je dan toch moet.'

De priester glimlachte instemmend en stak een hand uit.

'Jean-Claude Trichy, kapelaan van deze parochie.'

'Carlier,' zei de Schaduw en nam de hand aan. 'Charles C.M. Carlier, en onderweg naar Parijs.'

Trichy's ogen knepen zich verbouwereerd samen. 'Carlier? Charles C.M. Carlier? Toch niet dé Carlier alias de Schaduw van de *Sûreté Nationale*?'

Dezelve, neeg de Schaduw nederig het zonverbrande hoofd. En hoe kwam 't dat de eerwaarde zijn naam kende?

Omdat, zei Trichy, hij een oom had die vroeger als misdaadfoto- graaf bij het tijdschrift *Dernière Heure* had gewerkt en altijd hoog had opgegeven van monsieur de Schaduw.

'Hoe bestáát 't!' zei de Schaduw verrast. 'En hoe toevallig ook, want mijn vrouw en ik zijn juist onderweg naar een oude vriend die daar indertijd verslaggever bij was!'

'Uw vrouw is Engelse zo te horen?' informeerde Trichy.

'Allerminst,' zei de Schaduw, 'en wees blij dat zij haar Schotse neus poedert want de kans was anders groot dat u het er niet levend van af had gebracht. Ze is namelijk van de roemruchte Campbells, van wie er drie sneefden tijdens de Battle of Culloden tegen de Engelsen in 1643 of daaromtrent. En de familiespreuk luidt niet voor niets "Nooit vergeten, nimmer vergeven"!'

Hij glimlachte en knikte naar het kruisbeeld bij de kerk. 'Iets an- ders dus dan Zijn boodschap. Ik neem aan dat de kerk nog van voor die tijd dateert, maar werd gerestaureerd?'

'Ja,' zei Trichy, 'althans, de fundamenten dateren uit de dertiende eeuw. In 1948 werd aan de herbouw begonnen die tot begin 1963 heeft geduurd.'

'Dat,' zei de Schaduw, 'zal dan wel een bom duiten hebben gekost.'

'Zeker,' beaamde Trichy, 'maar père Saurel betaalde 't zelf.'

'Zo!' fronste de Schaduw verbaasd. 'En waar had père Saurel de bom duiten dan...'

Maar hij zweeg verder, omdat Eleonora het terras opkwam. En de Schaduw herkende geamuseerd de oogopslag van de ander, die onmiskenbare blik waarmee mannen, oud of jong, gehuwd of niet, celibatair of anderszins, haar onveranderlijk opnamen, met die mengeling van hunkering, bewondering, begeerte en al die andere masculiene emoties zonder welke de wereldgeschiedenis een andere loop had genomen, maar tevens een stuk saaier zou zijn geweest.

'Proost,' zei Eleonora, hief haar glas en nam een teugje. 'Heerlijk! En wie was pastoor Saurel als ik vragen mag?'

'Ach,' zei Trichy, 'u zag natuurlijk zijn portret binnen bij madame Mimi?'

'Ja,' zei Eleonora. 'Begrijp ik goed dat hij de kathedraal liet herbouwen?'

'Inderdaad. Ik vertelde het net aan monsieur. Ooit stond hier namelijk een kathedraal, gewijd aan Sainte Chatelaine. Maar in 1449 werd hij tijdens de Honderdjarige Oorlog door de Engelsen in brand gestoken.' Eleonora grimlachte en dronk. En de Schaduw glimlachte. En dronk ook.

'Daarna,' zei Trichy, 'heeft er eeuwen een kleine kerk gestaan die tijdens de geallieerde opmars in 1944 werd gebombardeerd.'

'Opnieuw door de Engelsen?' vroeg de Schaduw.

'Nee,' zei Trichy, ''t Was een vergissing van de Duitsers zelf geweest.'

'Ach,' zei Eleonora teleurgesteld.

'Père Saurel kwam hier direct na de oorlog en kreeg in een visioen van de Heilige Katelijne de opdracht haar kerk te herbouwen.'

'O?' zei Eleonora. En de Schaduw glimlachte opnieuw, want wist dat 't nu ergens in dat mooie hoofdje werd opgeslagen om te zijner tijd ergens in een volgende bestseller te worden gebruikt.

'Het was zijn trots en levenswerk,' zei Trichy, 'maar treurig genoeg ook zijn sterfplaats, want maar enkele dagen nadat de kerk werd ingewijd, viel hij van het dak.'

'*Oh my God!*' schrok Eleonora. 'Een ongeluk, of...?'

'O nee,' zei Trichy. 'Naar ik me heb laten vertellen was 't geen man om zichzelf van het leven te beroven. En bovendien, waarom zóú hij, nu zijn opus magnum net feestelijk was geopend? 't Was zelfs op tv. Nee, de politie constateerde een ongeluk. Al is madame Mimi er nog steeds van overtuigd dat 't moord was. Temeer omdat het 's nachts gebeurde.'

'Moord?' zei de Schaduw.

'Maar waarom dan?' vroeg Eleonora.

'Geen idee,' zei Trichy. 'En 't is ook flauwekul want hij was hier zeer geliefd. Maar madame Mimi zei dat ze wakker was geworden omdat ze een auto hoorde. Niet veel later had ze Saurel de kerk binnen zien rennen met een man achter zich aan. De politie vond echter geen enkel spoor. Geen wonder.' Hij glimlachte hoofdschuddend. 'Madame leest nogal veel detectives en ze houdt ook graag van een borreltje, moet u weten.'

De Schaduw knikte peinzend. 'Maar als 't een ongeluk was, wat dééd hij daar dan?'

Trichy wees naar de linkertoren. 'Vermoedelijk was hij daar om naar de sterren te kijken.'

'Pardon?' zei de Schaduw.

Trichy knikte. 'Hij was een verwoed amateurastronoom. Ziet u het dakraam, net naast de toren?'

De Schaduw zag 't. Een klein raampje waar de zon in blikkerde.

'Waarschijnlijk leunde hij te ver uit het raampje.'

De Schaduw knikte, temeer daar de naam Saurel geen lampje deed oplichten in het schaduwiaans brein waar, als in een reusachtig archief, de afdeling Moord & Doodslag een prominente plaats innam en waarin hij feilloos de weg wist.

'En hoe, als ik vragen mag, kwam père Saurel aan het benodigde geld om de kerk te herbouwen?'

'Hij had het van een peetoom geërfd,' zei Trichy en knipoogde naar Eleonora. 'Je hebt van die geluksvogels.'

De Schaduw knikte opnieuw, zelf immers geluksvogel met een tante Anubia zaliger die hem jaren geleden haar villa-hoeve tussen St. Paul-de Vence en Cagnes-sur-Mer benevens haar spaarcentjes had nagelaten. Maar een fortuin groot genoeg om een kathedraal van te laten bouwen? En hoe was peetoom dan aan dat enorme kapitaal gekomen als hij vragen mocht? En hoeveel had het bij benadering gekost?

'Schaduw!' zei Eleonora.

Welnee, lachte Trichy, 't was immers monsieurs vak, nietwaar, vragen stellen. De herbouw had zo'n vier miljoen in euro's gekost en naar verluidde had oom een afwijking in de roulette van Monaco berekend en het casino vervolgens tweemaal laten springen, waarna hij zou zijn afgekocht om er nooit meer een voet binnen te zetten.

'Ah,' zei de Schaduw, die er ook nooit meer een voet zette, maar dan omdat hij er békocht was. 'Over geluksvogels gesproken. En was 't dan soms uit schuldgevoel dat Saurel al dat geld aan een godshuis besteedde indachtig de Here en de wisselaars in de tempel?'

'Juist,' zei Trichy, 'hoewel hij nog een klein legaat naliet aan zijn nicht die tevens zijn huishoudster was.' Hij zette zijn glas neer. 'Als u tijd hebt, kunt u de kerk wel even bekijken. Ik kan u verzekeren dat het de moeite waard is. En zeker de graftombe van père Saurel.'

'Dat is heel aardig van u,' zei Eleonora terwijl ze op haar horloge keek, 'maar we worden om zeven uur in Parijs verwacht. En aangezien het nog een heel eind is en we daar eerst nog langs ons appartement willen, en ik me nog wil verkleden... Vind je niet, darling?'

De Schaduw knikte, nam een slokje, dacht aan dat hele eind, maar ook aan de welvoorziene wijnkelder van zijn oude vriend Jean d'Aubry en vooral aan 't feit dat er straks geen bedisselende echtgenotes bij zouden zijn om schuldgevoelens en zo meer op te wekken.

'Een tombe?' zei hij, altijd geïnteresseerd in die morbide wereld van laatste rustplaatsen zolang 't althans niet de zijne was.

'Ja,' zei Trichy. ''t Merkwaardige was namelijk dat enkele maanden na zijn begrafenis de tombe kapot werd geslagen.'

'O?' keek de Schaduw op. 'Kapot?'

'Helaas,' knikte Trichy. 'Men dacht aan vandalen of dronken boerenjongens. Maar mogelijk als u hier nog eens in de buurt bent...?'

'Welnee,' glimlachte de Schaduw, 'een kwartiertje moet kunnen. Wat, per slot, is een kwartiertje op de eeuwigheid, *ma chérie*?'

En 'chérie' glimlachte alhoewel de Schaduw toch een zucht meende te horen, maar op dat moment begonnen de kerkklokken te luiden, als een reusachtige wekker om Ste. Chatelaine uit haar siësta te doen ontwaken.

2

Een andere klok sloeg zeven uur toen de Schaduw de Bentley voor een statig flatgebouw aan de Parijse Avenue Montaigne parkeerde waar de d'Aubry's een riant appartement bewoonden. Jean en Madeleine d'Aubry behoorden tot de selecte groep Gezellen, zoals de Schaduw zijn intieme vrienden placht te betitelen, en wel vanaf dat allereerste bizarre avontuur dat in de annalen als *Het mysterie van St. Eustache* stond geboekstaafd en waarin hij, de Schaduw, nog als rechercheur Charles C.M. Carlier door het leven ging. Zij het dan wel als 'de kleverigste schaduw van de Sûreté'. En vandaar die geuzennaam Schaduw, geliefd bij Vromen en Vrienden, gevreesd door Crapuul en Canaille.

Jean d'Aubry was toen nog politieverslaggever bij het befaamde misdaadtijdschrift *Dernière Heure* en sinds die lang vervlogen dagen hadden hij en de Schaduw menig ander avontuur beleefd, culminerend in evenzovele spectaculaire arrestaties als de primeurs daarvan.

'*Et voilá*,' zei de Schaduw. 'Gelaafd ende verfrist ende verkleed ende stipt op tijd, ende voorts niet te danken voor het compliment.'

'Darling,' schudde Eleonora haar blonde lokken, 'je bent *terrible*, en dat geldt ongetwijfeld ook het aantal bekeuringen in 't afgelopen halfuur.'

'Die dan per kerende post worden geretourneerd,' zei de Schaduw, en hij zette de motor uit, 'want dat, *mon chou*, is nu het privilege van de Platvoet die na jaren vlijt en toewijding de bovenste treden heeft bereikt en derhalve bonnen en bekeuringen aan dezelfde steunzolen lapt waarmee hij zichzelf omhoog en anderen naar beneden...'

'*Oh no!*' zei Eleonora.

'O ja,' zei de Schaduw. 'En gezien het beroerde salaris van de Platvoet is het ook alleszins redelijk dat hij de...'

Maar Eleonora luisterde niet en staarde met grote ogen langs hem naar de overkant.

Waarop de Schaduw zich omdraaide. En verbluft de wenkbrauwen fronste.

'Het is niet wáár!' zei Eleonora.

'Bang van wel,' zei de Schaduw.

'Maar het is niet normaal!'

'Dat,' knikte de Schaduw, 'ís zo. Want tweehonderd kilo stooflap die zich uit een Porsche wringt, al is 't dan een Cayenne, is inderdaad niet normaal. Om niet te zeggen ábnormaal. Maar nog minder normaal is dat Stóóflap dat doet.'

'Ah?' keek Eleonora op. 'Ken je 'm toevallig?'

De Schaduw knikte opnieuw maar bleef naar de in slobberpak gehulde Stooflap kijken die nu om de Cayenne heen liep om 't andere voorportier te openen. En 't was jammer, vond de Schaduw, dat voor de Cayenne een donkerblauwe Peugeot stond geparkeerd zodat hij 't kenteken niet kon zien.

'Toevallig is 't woord niet, chérie, en in 't algemeen mijd ik stooflappen als een zeehond een bontwinkel, maar inderdaad, we kennen hem. En niet uit de kroeg of de kerk, maar wel van een zekere plaats met gepantserde deuren, rammelende sleutels en betraliede ramen die ook wel staatshotel, nor, cachot, lik of bajes wordt genoemd. En aangezien het in strijd is met de Wetten van Massa en Volume dat Stooflap zich tussen die tralies door heeft weten te wurmen, zou 'k dolgraag willen weten hóé en wát en waaróm. En vooral ook wie die blonde Walkure wel mag zijn die nu uitstapt.'

En de Walkure wás blond, hóógblond zelfs, gehuld in een veel te krap zilverkleurig pakje en vooral ook hoog in de zin dat haar gevlochten lokken als goudgele braadworsten waren opgebonden. En dus was 't Stooflap met Braadworst, vond de Schaduw en hij keek nog immer fronsend het corpulente stel na dat schommelend het befaamde restaurant Le Cheval Blanc binnenwandelde.

'Wat denk je,' vroeg Eleonora huiverend, 'gehuwd?'

''k Mag 't niet hopen,' zei de Schaduw. ''t Zou zo'n ander licht werpen op de bedoeling van de Schepper, wat? Maar aangezien Diens wegen, net als overigens die van Isodorus Smalbil ondoorgrondelijk zijn, zou 't best kunnen.'

'Smalbil?' zei Eleonora.

'Yep,' zei de Schaduw. 'Isodorus Smalbil, Hollander van geboorte maar Europeaan in hart en nieren en dan heb ik het niet over dat Brusselse ideaal maar wel over de stapel valse paspoorten in Isodorus' portefeuille. En de laatste keer dat ik broeder Isodoor zag, droeg hij een streepjespak en niet van Armani maar uit het magazijn van het staatshotel te Saint Quentin, en slijtvast want bestemd voor drie jaar hechtenis wegens het smokkelen van ouwels. En de tijd vliegt weliswaar als een schaduw heen...'

'Ouwels?' zei Eleonora verbaasd.

'Ja,' zei de Schaduw, 'gevuld met onversneden heroïne. En zelden, chérie, zou de Heilige Geest zich zo uitbundig hebben geopenbaard, ware het niet dat Silvère en ik de eredienst rammelend met de handijzers luister bij... Ah, *et voilà* Madeleine!'

Want uit het flatgebouw kwam een ranke verschijning met een koffer en een fototas en gekleed in een helrood lakjasje over een gebleekte spijkerbroek op hen toe.

'Wat ziet ze er toch fantastisch uit,' zei Eleonora. 'Ze doet me altijd denken aan de jonge Juliette Gréco.'

'Dat mocht de jonge Gréco willen,' zei de Schaduw en stapte uit om Madeleine de helpende hand te bieden. 'En de oude trouwens nog meer. *Bonsoir, ma chère* Madeleine!'

'Charles, wat zie je er weer gebronsd uit!'

'Hoge bloeddruk,' zei de Schaduw, en hij kuste haar, 'maar ik draag het als een man. Je koffer bedoel ik. En waar is de beminde wederhelft die dat had zúllen doen?'

'Daarboven.' Madeleine wees omhoog en de Schaduw zag de vrolijk zwaaiende d'Aubry op het balkonterras van de zesde etage. 'Wederhelft kreeg namelijk onverwacht bezoek, zie je.'

'Ach,' zei de Schaduw. 'Is 't dan misschien verstandig als de Inwendige en ik ons even in Le Cheval Blanc aan de overkant vermeien?'

'*Mais non!* Ze hebben het juist over je. En hij popelt je te zien! Bonsoir, Eleonora.' En ze draaide zich naar Eleonora die uit de auto kwam en ook naar d'Aubry wuifde. 'Lieverd, wat zie je er weer beeldig uit! Hoe doe je dat toch in godsnaam na een urenlange reis?'

'En dan te bedenken,' glimlachte Eleonora, 'dat Charles nog zo nodig voor grafdelver wilde spelen!'

'Ah?' zei Madeleine vragend, maar de Schaduw zette de koffer al achter in de Bentley terwijl hij zich afvroeg wie dat onverwachte bezoek dan wel was dat er zo gepopeld werd. En over popelen gesproken, hoe graag had hij niet even onopvallend de gebruinde neus om de hoek van het befaamde restaurant willen steken, en dus hopelijk ook in de zaken van Isodorus en de hoogblonde Walkure.

'Ik heb wat te eten in de oven gezet,' zei Madeleine. 'Niet veel, hoor. Simpele dingetjes, niets wat je thuis van zuster Theresa krijgt voorgeschoteld.'

'Wat gegratineerde oestertjes en zo,' zei de Schaduw, indachtig een verhitte Theresa boven het fornuis in Villa des Ombres.

'Dat wel,' glimlachte Madeleine.

'En mogelijk ook een gebakken speenvarkentje in een saus van sjalotjes met runderbouillon en verse...'

Haar smaragdgroene ogen knepen zich samen. 'Hoe wéét jij dat?'

'Die vraag,' zei de Schaduw, 'wordt me wel vaker gesteld maar doorgaans door minder charmante verschijningen die ze omhoogsteken, de handjes bedoel ik, en...'

'Van Jean!'

En de Schaduw neeg het hoofd. 'Ik belde hem net van de Avenue de Neuilly dat we eraan kwamen zodat hij alvast fles, kurk en trekker en...'

'Charles!' zei Eleonora, 'we moeten nu echt weg, darling!'

'Beter een halfuur te laat dan een uur vroeger in het ziekenhuis,' zei de Schaduw. Hij spitste de lippen, kuste Madeleine op de wang en vervolgens Eleonora op de kersenrode mond. 'En rij voorzichtig, wil je? En hoed je daar voor 't gespuis want zoals 't gezegde luidt: wie een kuil graaft voor een ander is een doodgraver dan wel een Vogees. Als 't althans geen Vogenees of Vogenaar is.'

'Waar ben je bang voor, darling?'

'De Bentley,' zei de Schaduw. ''t Zou zo zonde zijn, weet je.'

Ze glimlachte, kuste hem terug en schoof achter het stuur.

'Ik bel nog wel. En drink een beetje matig, wil je.'

'Absoluut,' zei de Schaduw. 'Régelmatig, en verder zou 'k...'

Maar Eleonora startte de Bentley al, die enkele seconden later uit zijn blikveld verdween. Waarin dat befaamde Le Cheval Blanc weer opdoemde, alsmede een roomwitte Lincoln Townscar waarvan het achterportier werd geopend door een breedgeschouderd type. Even zag de Schaduw een glimp van een oude, witkuivige man uitstappen terwijl een geüniformeerde portier kwam toesnellen. Een beveiligd en belangrijk heerschap dus, overwoog de Schaduw, en tevens gefortuneerd, wat doorgaans op 't zelfde neerkwam.

Terwijl hij het flatgebouw binnenliep, vroeg hij zich opnieuw af wat broeder Isodorus uitgerekend hier en nu uitspookte. Toeval? Vanwege hém, de Schaduw? Omdat hij, Schaduw, Isodoor hoogstpersoonlijk in Hotel Nor te St. Quentin had afgeleverd en Isodoor mogelijk klachten had over bediening en bewassing aldaar?

Onmogelijk, dacht hij. Isodorus kon immers niet weten dat hij hier was en bovendien zou Isodorus dan niet zo hoogst opvallend met die Cayenne zijn verschenen. En dus wás 't toeval, besloot hij, maar hij haalde desondanks in de lift toch zijn mobieltje tevoorschijn en toetste geroutineerd een nummer in, dat echter niet werd beantwoord. Waarop hij zich voornam de handel en wandel van Isodorus morgen na te laten gaan in dat grijze, pompeuze gebouw aan de Quai des Orfèvres waar de Sûreté Nationale was gevestigd en waarin hij al zoveel Isodorussen de doopceel had gelicht.

'Of is 't Isodorí?' zei de Schaduw terwijl hij aanbelde, wat ogenblikkelijk een luid gekef achter de deur teweegbracht. Een stem riep: 'Af, Fifi!' de deur zwaaide open en de als immer chic geklede d'Aubry stond breed lachend in de deuropening.

'Charles! Goed je te zien. Sorry dat ik niet afdaalde om de lieve Noor te kussen, maar Madeleine heeft je ongetwijfeld verteld dat er bezoek is. Af, Fifi!'

Want de kleine terriër sprong verwoed rond tussen de benen van de Schaduw en rende vervolgens voor hen uit de gang in naar de woonkamer.

'Een Nederlander,' zei d'Aubry. 'Hij spreekt geen Frans, maar wel Engels. En hou je vast, want hij zoekt een vent die indertijd met Bonnermann te maken had.'

En de Schaduw stond stil, al was 't maar omdat er niets was om zich aan vast te houden.

'Bonnermann?' zei de Schaduw. 'Bedoelen we Theodor Bonnermann?'

'Ja,' zei d'Aubry, 'alias Het Grijnzende Hoofd, in leven SS-*Gruppenführer* en kampcommandant van Dachau. Ga voor, wil je?'

3

Verbluft liep de Schaduw verder, de woonkamer in, met op zijn net-
vlies haarscherp de laatste keer dat hij dat grijnzende hoofd had
gezien. Of beter grijnzende schedel, 't gebit verkrampt ontbloot in 't
aangezicht van Magere Hein, want die laatste keer was Bonnermann Dee Dubbel Oo Dee geweest, oftewel dood. En dus duurde
het even voor hij zich realiseerde dat twee kinderlijk blauwe ogen
hem vanachter twee ronde brillenglazen schuchter opnamen. En
'óp' was ook anderszins het juiste woord want de Schaduw, zelf nog
geen één meter zeventig lang, keek néér in die blauwe ogen die niet
van een kind bleken, maar van een mannetje wiens blonde kuifje
net tot des Schaduws kin reikte. Een mannetje met een blozend appelgezichtje en gekleed in een mosgroen fluwelen jasje over een
plusfour waaronder geblokte kousen in ouderwetse hoge veter-
schoenen verdwenen. Tussen de revers prijkte een bont gespikkelde
vlinderstrik, en een gouden horlogeketting verdween in 't zakje van
een geruit vest zodat het geheel de Schaduw onweerstaanbaar deed
denken aan een diakenmannetje uit een roman van Dickens.

'Monsieur Carlier!' zei 't mannetje in een huiveringwekkend Hollands klinkend school-Engels. 'Wat een eer de beroemdste speurder
van de Sûreté Nationale te mogen ontmoeten! Schwoppeke Uijenkruijer.'

'Eh?' zei de Schaduw.

Het appelgezichtje lachte verontschuldigend. 'Ik kan 't ook niet
helpen. Mijn vader heette zo, en mijn grootvader, en zo kan ik door-
gaan tot aan 1812 toen een zekere Paddeke zichzelf Uijenkruijer
ging noemen.'

'*l'Apporteur des oignons*,' knikte de Schaduw begrijpend. 'Ik herinner me nog goed hoe ze gepikkeld en ingemaakt werden in de Hal-
len. De uien, bedoel ik. En overigens was 't ook een perfecte ver-

momming voor gestrande Engelse piloten tijdens de oorlog, want zelfs de Gestapo kreeg er de tranen van in de ogen. Hoe maakt u het, meneer Uijenkruijer?'

En de uitspraak van die lastige Hollandse naam klonk niet eens zó beroerd, maar onder des Schaduws Gezellen bevonden zich dan ook Nederlanders met zulke tongbrekende namen als Uyttenbogaert en jonkheer Suyckersant.

'En wat,' vroeg d'Aubry tamelijk ironisch, 'mag ik de beroemdste speurder van de Sûreté inschenken? Het wit van zijn geliefde Provence of het goudgeel van de Hooglanden van die andere geliefde?'

En monsieur, die in zijn pied-à-terre aan de Avenue de Neuilly inderhaast al zo'n goudgele malt achterover had geslagen, koos voor de Fontcreuse. En nam plaats tegenover Schwoppeke, die graag nog een glas rode wijn beliefde en een sprieterige havanna aanstak met een dure, gouden aansteker.

'Ik hoorde zojuist van monsieur d'Aubry dat uw vrouw Eleonora Campbell is,' zei Schwoppeke. 'Ik lees net haar laatste roman *Normandische Nocturne*. Werkelijk een aangrijpend boek! En zo spiritueel! Vooral de scène waarin de arme Lilly zeker weet in een vorig leven als Mathilde aan het tapijt van Bayeux te hebben gewerkt in afwachting van de terugkeer van haar echtgenoot Willem de Veroveraar.'

De Schaduw nam 't compliment stilzwijgend voor kennisgeving aan, want juist die scène vond hij flauwekul, zoals hij die hele reïncarnatieleer je reinste flauwekul vond. Want waar kwamen die miljarden wereldbewoners anno heden dan vandaan als het er ooit maar een paar honderd waren geweest? Bovendien zou 't zo buitengewoon onrechtvaardig zijn als alle crapuul en schoelje dat hij eigenhandig van die wereld had verwijderd, doodleuk opnieuw aan de start kon verschijnen. En waar anders waren dan Hel en Verdoemenis voor? Maar vanzelfsprekend had hij 't niet gewaagd dat tegen Eleonora te zeggen en zweeg hij dus ook nu terwijl hij een knol van een sigaar tevoorschijn haalde.

'En begrijp ik het goed,' zei Schwoppeke, 'dat zij met mevrouw d'Aubry aan een vervolg werkt dat zich afspeelt in de Vogezen?'

Ja, knikte de Schaduw en bevochtigde de knol met getuite lippen. 'Maar gelieve het niet verder te vertellen zodat we straks horden laaiende Vogenezen aan de achterdeur krijgen, want de lieve Noor schrijft graag naar de werkelijkheid, typetjes en zo. Wat men noemt: getekend naar het leven. En aangezien mevrouw d'Aubry een begenadigd fotografe is...'

'Aha!' zei Schwoppeke. 'Vandaar die zo treffende beschrijvingen!'

De Schaduw knikte. 'Maar naar ik begrijp zal 't verhaal voornamelijk gesitueerd zijn in kroegen en bordelen en is 't dus maar de vraag wat rijkelijker zal vloeien, de spiritualiteit of de spiritualiën. Dank, beste Jean.'

Hij nam het glas van d'Aubry aan en stak de brand in de knol. 'Bent u gehuwd?'

'Nee,' lachte Schwoppeke. 'Zou 't moeten?'

'Dat,' zei de Schaduw, 'is een vraag die men beter aan gynaecologen en pastoors zou kunnen stellen. Santé.'

Het was even stil op de vage geluiden van het verkeer op de Avenue Montaigne na. De Schaduw nipte van de Fontcreuse en zoog aan de knol en vroeg zich af waarom 't manneke een leren koffertje naast zich had staan. Had het te maken met die naam die d'Aubry zo-even in de gang had genoemd? Bonnermann, een naam die de Schaduw in die enkele seconde als in een tijdmachine had teruggeflitst naar dat vreemde avontuur *Hoofden op Hol* waarin hij de stervende Bonnermann in een villa nabij Cagnes-sur-Mer had aangetroffen. En wéér zag hij de onmiskenbaar Pruisische kop met de eeuwig arrogante grijns om de dunne lippen voor zich, het monocle geklemd in het ene oog, het andere vol minachtende spot, zelfs in het uur van de onzalige dood. SS-Gruppenführer Theodor Bonnermann, een man met duizenden doden op zijn geweten. Wat op zijn minst nogal paradoxaal klonk, dat geweten en Bonnermann.

Wat had het manneke met een dode kampbeul van doen? Alsof Schwoppeke zijn gedachten had geraden, zei hij: 'U zult zich afvragen waarom ik hier ben. De reden is mijn oom Paddeke Uijenkruijer die onlangs, bijna negentig jaar oud, in een tehuis overleed.'

'Ach,' knikte de Schaduw meelevend.

'Ja,' zei Schwoppeke. 'Maar vijfenzestig jaar eerder, in 1944 wás hij al doodverklaard, en wel in het concentratiekamp Dachau waar de u bekende Theodor Bonnermann toen commandant was. En aangezien monsieur d'Aubry hier ooit in de *Dernière Heure* over Bonnermann schreef, belde ik hem op omdat ik me afvroeg of hij dan mogelijk ook een zekere August Loutertopf kende.'

'En 't antwoord is nee,' zei d'Aubry. 'Jij, Schaduw?'

Peinzend nam de Schaduw een teugje en tastte in 't klavier van zijn geheugen naar ene August Loutertopf, maar raakte toets noch snaar. 'Het spijt me, nee. En wie ís 't? Ook een Duitser?'

'Mogelijk,' zei Schwoppeke. 'Het enige wat ik weet, is dat hij mijn oom in de oorlog heeft verraden en dat mijn oom hem sindsdien heeft gezocht. Hem en een zekere Geertje.'

'Geertje?'

'Ja,' zei Schwoppeke. 'Een Nederlands meisje. Veel weet ik er niet van, maar zij woonde in de oorlog in Limburg waar mijn oom als jongen in een bar werkte. In een plaatsje bij een seminarium waar die Loutertopf tot priester werd opgeleid.'

'Juist,' zei de Schaduw, altijd nog blij dat hij zelf die opleiding niet had doorlopen maar, integendeel, er was wéggelopen. 'En weet u waarom uw oom werd verraden?'

'Nee. Hij sprak er nooit over, maar ik heb hem ook in geen jaren meer gezien. Ik weet wel dat hij en die Geertje hartstochtelijk verliefd op elkaar waren. Maar na de oorlog begreep hij dat ze met Loutertopf hier naar Frankrijk was gegaan. Waarschijnlijk dacht ze dat hij in Dachau was omgekomen.'

'Maar,' zei d'Aubry, 'zei u niet zo-even dat Loutertopf priester wilde worden?'

Ja, zei Schwoppeke, dat was zo.

'En dus,' zei de Schaduw, 'was 't mogelijk een kwestie van de ene maagd voor de andere? 't Zou immers niet de eerste keer zijn, wat? Noch dat verraad omwille van een vrouw.'

'Dat meende oom Paddeke ook. Maar uiteindelijk gaf hij het zoeken naar Geertje op en ontmoette hij hier in Parijs een andere vrouw.'

'Ah,' zei de Schaduw. '*Une Parisienne*?'

'Ja,' zei Schwoppeke. 'Een stripteasedanseres in de bar waar hij werkte. Mogelijk hebt u weleens van haar gehoord, want ze danste in Le Canard Jaune op Pigalle.'

'O ja?' vroeg de Schaduw met meer dan gewone interesse. 'En hoe heette ze dan wel?'

'Marie Dubois,' zei Schwoppeke, 'maar ze trad op onder de naam Poupette la Tulipe. Wat ook het enige was waaronder ze danste, als u begrijpt wat ik bedoel.'

De Schaduw begreep het inderdaad, maar hield zijn gezicht in de plooi en zag aan dat van d'Aubry dat ook híj aan een rokerig achterzaaltje vol zweterige mannen dacht. En aan een podium waarop in louche lila licht Poupette danste. Mét tulp. Of beter: met slechts drie minieme tulpenblaadjes van helrood zijde die drie strategische plaatsen van de naakte Poupette bedekte. Waarvan het de vraag was of en hoe lang de lijm het zou houden. 't Publiek bestond dan ook niet uit dansliefhebbers. En evenmin uit bloemisten.

Hoe verbazingwekkend, dacht hij, maar niet alleen vanwege 't wonderlijk toeval. Want had die Paddeke Uijenkruijer als oud-kampgevangene dan niet geweten dat Poupette in de oorlog een SS'er als minnaar had gehad?

'Kende u haar mogelijk?' vroeg Schwoppeke. Hij pakte het koffertje op.

'Van naam,' zei de Schaduw ontwijkend.

'Ach. Anders kon ik u haar groeten overbrengen, ziet u.'

'Pardon?'

'O ja,' lachte Schwoppeke. 'Ik logeerde als kind wel bij haar en oom Paddeke hier in Parijs. Maar begin jaren zestig liep hij bij haar weg en verdween spoorloos. Zij hertrouwde nadien met een Duitser, graaf von Schweinfürstendum. Ik heb hem nooit gezien want hij kwam om bij een brand toen ze hier ergens in Frankrijk waren, maar sindsdien ontmoette ik haar en haar stiefdochter zo nu en dan.'

'Juist,' zei de Schaduw en hij dronk, niet eens verbaasd dat Poupette het opnieuw met een Duitser had aangelegd. Was Paddeke alsnog achter haar oorlogsverleden gekomen? Er waren per slot mindere redenen om bij een vrouw weg te lopen. 'En wat doet u zoal in Duitsland?'

'Zaken,' zei Schwoppeke. 'En waarom ook niet? Vergeven en láten vergeven, zeg ik altijd.'

De Schaduw knikte en hield een opmerking binnen over een ooit door hem gearresteerde gifmengster die datzelfde motto had gehanteerd.

'En wat voor zaken als ik vragen mag?'

'Uien,' glimlachte Schwoppeke. '*Zwiebeln*. Gesneden, gebakken, vers of ingevroren, voorgekookt, glazig of rauw, bij *Sauerkraut und Hamburger*. En 't aardige is dat we 't al sinds 1619 doen, want ook daar zijn Duitsers dol op, traditie.'

'Aha,' zei de Schaduw en hij hield opnieuw een opmerking binnen, ditmaal hoe jammer het was dat uien niet aan bomen groeiden want dat anders de ui niet ver...

Hij knikte toen d'Aubry vragend naar zijn lege glas keek. 'Kan uw oom toen die Geertje alsnog hebben gevonden en daarom zijn weggelopen bij Poupette?'

'Nee,' meende Schwoppeke. 'Want hij trouwde met een zekere Jeanine. Ik zag hem nooit meer, wist niet eens of hij nog leefde en waar hij dan woonde. Maar onlangs kreeg ik tot mijn verrassing na bijna veertig jaar een brief van hem,' hij trok een in leer gebonden manuscript uit de tas en daarna aan zijn sigaartje, 'waarin hij me dringend vroeg langs te komen in een tehuis in eh...' Hij schudde wat hulpeloos het appelhoofdje zodat het kuifje heen en weer deinde. 'Mijn Frans is helaas nogal beroerd, ziet u, maar 't is iets met Saint of Sainte en ligt in het noorden. Tante Poupette zei dat ze er vroeger weleens met hem was geweest. Enfin, omdat ik dezer dagen toch voor zaken naar Lille en Parijs moest, wilde ik hem uiteraard bezoeken, maar toen ik daar aankwam bleek hij helaas een week tevoren te zijn overleden. Treurig, al had ik hem dan nooit meer gezien. Ik ben toch zijn enige familie.' Hij glimlachte wat droevig en blies een wolkje rook uit. 'Wat ze overigens in dat tehuis niet wisten. Ze kenden hem daar namelijk als de weduwnaar Padde Le Veilleur.'

'Le Veilleur?' vroeg de Schaduw verwonderd. 'De Nachtwaker?'

'Ja. Ongetwijfeld wegens dat moeilijke Uijenkruijer. Voor hij in dat tehuis belandde, had hij jaren met zijn vrouw in de omgeving gewoond. Zij stierf enkele jaren geleden. Ik vermoed dat hij in dat tehuis aan zijn memoires begon.' Hij sloeg het manuscript open zodat de Schaduw dicht beschreven regels in een priegelig handschrift zag.

'Helaas in het Frans,' zei Schwoppeke, 'en zoals ik u al zei, 't mijne is abominabel. Bovendien heb ik er nog nauwelijks tijd voor gehad.

De directrice van dat tehuis heeft het onder het tapijt in zijn kamer gevonden.'

'Onder 't tapijt?' zei d'Aubry verwonderd.

'Ja,' knikte Schwoppeke. 'Niet zo gek, want volgens die directrice leed oom Paddeke aan paranoia, wat natuurlijk heel verklaarbaar was gezien die ellendige oorlog en dat nog ellendiger concentratie-kamp, nietwaar?'

Vanzelfsprekend, knikte de Schaduw. Maar vroeg zich deson-danks even vanzelfsprekend af of er mogelijk nog een andere reden was, als zo vaak immers met zaken die onder 't tapijt werden ge-schoven.

'Had hij een testament?' vroeg d'Aubry.

'Nee,' zei Schwoppeke. 'En aan wie had hij ook moeten nalaten? Voor zover bekend had hij geen kinderen. Afgezien van wat meu-bilair en kleding en boeken waren deze memoires het enige. Al moet hij ooit in goeden doen zijn geweest want 't is een chic te-huis, en de villa waar hij met zijn vrouw woonde schijnt een klein fortuin waard te zijn geweest. Maar op zijn bankrekening stond slechts een bedrag dat nauwelijks toereikend was voor de huur.'

'Merkwaardig,' zei de Schaduw. 'En niemand die hem kende?'

'Althans niet dat men wist,' zei Schwoppeke, 'hij bemoeide zich nauwelijks met de andere bewoners.' Hij zweeg even om zijn neus in een kakelbonte zakdoek te snuiten.

De Schaduw smookte de sigaar en voelde zijn maag rommelen. 't Mocht dan allemachtig interessant zijn, dat gold zo langzamer-hand evenzeer de gegratineerde oesters en het gebakken speenvar-kentje in een saus van runderbouillon met verse sjalotjes. Dus waarom schoot het aardige maar o zo trage manneke niet een beetje op? Want wát had 't allemaal met de dode Bonnermann van doen?

'De memoires,' zei Schwoppeke, 'stoppen in 1963. Mogelijk om-dat de dood hem vorige week trof. 't Is weliswaar in 't Frans, maar de directrice wilde weten of het misschien om nabestaanden ging, ziet u. U vroeg zojuist of hij die Geertje had gevonden. Kijkt u maar.'

En de Schaduw zag 't. Enkele regels Frans in een wat priegelig handschrift. '4 april '63. Ik heb August gezien! Ik weet het zeker! Op het nieuws! August en Geertje! Eindelijk! Hij moet het hebben, het kan niet anders!'

'August Loutertopf,' zei d'Aubry, 'die priester die hem verraadde en er met Geertje vandoor ging.'

Ja, knikte Schwoppeke.

Het was weer even stil, op het zachte snurken van Fifi na.

'Merkwaardig,' zei de Schaduw weer en vroeg zich af wat er die dag dan op het nieuws was geweest. 'En hebt u enig idee wat uw oom met dat "het" bedoeld kan hebben?'

'Nee,' schudde Schwoppeke. 'Geen enkel. Maar 't gekke is dat ik onlangs thuis door een Nederlandse vrouw werd gebeld die vroeg of ik de neef van Paddeke Uijenkruijer was.' Hij glimlachte. 'Het voordeel van die naam, ziet u. Ze had hem gegoogeld en uitgevonden dat ik familie moest zijn. Toen ik dat bevestigde, vroeg ze me of mijn oom me ooit iets had verteld over die August Loutertopf.'

'Zo,' zei de Schaduw, 'en zei ze ook waarom?'

'Nee,' zei Schwoppeke. 'Ik dacht dat ze mogelijk familie was, maar dat was niet zo. Ze wilde weten waar mijn oom was; wat ik toen nog niet wist want ik had zijn brief nog niet. Ik heb straks om negen uur een afspraak met haar.'

'O,' zei de Schaduw, 'hier in Parijs?'

'Ja,' zei Schwoppeke. 'In mijn hotel, het Bellevue. Want ze moest toevallig in Parijs zijn, ziet u.' Hij boog zich weer naar het koffertje, haalde er een envelop uit en trok daaruit een zwart-witfoto. 'Hebt u ooit gehoord van Bolo von Schmalensee? *Freiherr* Bolo von Schmalensee?'

Ze keken, en de Schaduw veerde op, net als de haartjes in zijn nek.

'Bonnermann,' zei d'Aubry zachtjes.

'En Von Schmalensee,' zei de Schaduw net zo zachtjes. 'Hoe komt u hieraan?'

'Van die Nederlandse,' zei Schwoppeke verbouwereerd. 'Hij lag namelijk vanochtend voor me klaar bij de receptie van het Bellevue. Met een briefje dat ze graag wilde weten of er mensen op stonden over wie mijn oom mogelijk wél had verteld.'

Bevangen door herinneringen tuurde de Schaduw naar de foto die naar 't hem toescheen ergens op een pleintje was gemaakt. Een oude afdruk ter grootte van een ansichtkaart met gekartelde witte randen. En het waren ontegenzeggelijk Bonnermann en Freiherr Von Schmalensee, beiden in SS-uniform en met de hoge zwarte pet met de doodskop en de gekruiste beenderen op. De jonge Bonnermann grijnsde, de oudere Freiherr keek strak voor zich uit. En opnieuw trok een lichte huivering over de schouderbladen van de Schaduw.

Bolo von Schmalensee, die na de oorlog net als zoveel nazi's spoorloos was verdwenen. En naar wie hij, Schaduw, nog in de jaren zestig zo lang had gezocht, maar die inmiddels ook allang dood moest zijn, want Von Schmalensee was toen al een oude man geweest. En wist Schwoppeke dat juist Von Schmalensee hier in Parijs een van de minnaars van zijn tante Poupette was geweest?

Niet ver van Bonnermann stond een man van middelbare leeftijd, een magere man in een licht kostuum en met een witte hoed op. Zijn gezicht ging deels schuil in de schaduw van de hoed. Een magere kop met ingevallen wangen. Wie was hij? Ook een Duitser? Gestapo?

Bij hem stond een blond meisje van een jaar of achttien dat haar hand uitstak naar een witte poedel. De hond was aangelijnd en de riem werd vastgehouden door een lachende jongeman met een bol gezicht. Wat verderop bij een muur stonden twee priesters van wie de kleinste een rozenkrans vasthield. De muur werd begrensd door een huis, en de Schaduw kon nog net de letters BAR lezen op een raam. Boven het dak rees een beboste heuvel.

'Die jongen die de hond vasthoudt,' zei Schwoppeke, 'is mijn oom Paddeke, maar 't idiote toeval wil dat achterop ook de naam van die August Loutertopf staat.'

Fronsend draaide de Schaduw de foto om. En las in een sierlijk, wat verbleekt handschrift de namen van Theodor Bonnermann en Freiherr Bolo von Schmalensee. Eronder stonden in hetzelfde handschrift de namen Paddeke Uijenkruijer en August Loutertopf.

'Ik vermoed dat het meisje Geertje is,' zei Schwoppeke, 'en het zou kunnen dat de foto in de buurt van het Sint Jozef-seminarie werd gemaakt waar Loutertopf tot priester werd opgeleid, omdat er immers nog een priester op staat.'

De Schaduw knikte peinzend en vroeg zich af waarom Bonnermann en Von Schmalensee daar dan waren. En opnieuw wie die man met de witte hoed was. Waarom stond zijn naam er niet op? Of die van het meisje? En welke van de twee priesters was dan Loutertopf? En kon 't zijn dat het meisje zwanger was of vergiste hij zich?

'Merkwaardig,' zei de Schaduw. 'En die Nederlandse vrouw belde u dus omdat ze uw oom Paddeke had willen spreken over Loutertopf?'

Ja, knikte Schwoppeke.

'Had ze gezegd hoe ze aan deze foto kwam?'

'Nee,' zei Schwoppeke. 'Ze klonk ook heel verward, ziet u, en ze had haast.'

'Hoe heet ze?' vroeg d'Aubry.

'Lotje,' zei Schwoppeke. 'Maar ze noemde geen achternaam.'

'O?' fronste de Schaduw.

'Ja,' zei Schwoppeke, 'dus u zult begrijpen hoe nieuwsgierig ik ben.'

Hij schoof de foto terug in de envelop en die vervolgens met het manuscript in de tas.

'En hoe,' vroeg de Schaduw langs de bekende neus weg, 'kwam uw oom Paddeke te overlijden, als ik zo vrij mag zijn?'

Schwoppeke lachte. 'Natuurlijk! Ik wist dat u die vraag zou stellen! De Schaduw immers. Maar ik kan u verzekeren dat 't een natuurlijke dood was, treurig als het ook is. Iemand vond hem in een vijver in de tuinen van het tehuis.'

'Verdronken?' vroeg d'Aubry.

'O nee. Volgens de directrice had zijn hart het begeven toen hij daar wandelde. Niet vreemd op zijn leeftijd.'

'Nee,' zei de Schaduw en nam een slokje van de Fontcreuse. 'En uw oom had u ook nooit verteld over Freiherr von Schmalensee?'

'Nee,' zei Schwoppeke. 'Voor zover ik me kan herinneren sprak hij nooit over de oorlog en het kamp. Maar u zult wel weten dat mensen die die oorlog hebben meegemaakt het daar liever niet meer over hebben.'

De Schaduw knikte, wist dat inderdaad.

Schwoppeke kwam overeind en stak een poezelig handje uit naar de Schaduw. 'Dank voor uw tijd en belangstelling. Het was me een eer en genoegen dat u met mij wilde spreken.'

De Schaduw knikte dat 't insgelijks en wederzijds was en dat het hem oprecht speet niet van dienst te kunnen zijn geweest maar dat, mocht monsieur Uijenkruijer alsnog meer te weten komen, hij, de Schaduw, zich aanbevolen hield, weshalve hij een visitekaartje tevoorschijn viste en in het poezelige handje stopte.

'En,' zei Schwoppeke, 'wees zo goed mijn complimenten aan uw vrouw over te brengen en haar te zeggen dat ik popel haar nieuwe meesterwerk te kunnen lezen.'

'Vanzelfsprekend,' zei de Schaduw. Hij wachtte tot eerst de keffende Fifi en dan d'Aubry Schwoppeke was voorgegaan naar de hal en smookte de sigaar terwijl hij zich weer verbaasde over het toeval dat Bonnermann en Von Schmalensee na zoveel jaren weer op zijn pad bracht. En vroeg zich af waarom ene Lotje dan nu nog ene Paddeke over ene August had willen spreken. En wat die Paddeke bedoeld had met die intrigerende laatste notitie in zijn memoires. 'Het'. 'Hij moet het hebben! Het kan niet anders!'

Maar intrigerend als het is, zei de Inwendige, is 't jóúw zaak?

'Om de dooie dood niet,' zei de Schaduw en schonk zichzelf nog eens in, indachtig een comfortabele taxi waarmee hij zich straks ná oesters, speenvarken en ongetwijfeld nóg een uitgelezen fles wijn naar zijn appartement aan de Avenue de Neuilly zou laten vervoeren. En zag toen Schwoppekes gouden aansteker op tafel liggen. Een prijzige aansteker ook, want aan de zijkant stond in sierlijke lettertjes dat het een 14-karaats zippo was.

''k Had in de uien moeten gaan,' zei de Schaduw en liep door de geopende deuren het balkonterras op waar hij zes verdiepingen omlaag keek op voetgangers en automobielen en geen spoor of schim meer van Schwoppeke ontwaarde. En dan het kenteken van de zwarte Cayenne in de avondzon zag oplichten. Fronsend liep hij op een holletje naar binnen, zocht en vond d'Aubrys verrekijker op diens bureau en fronste, weer buiten, opnieuw want 't was een Belgisch kenteken. En wel BBQ-333. Wat hem des te sterker aan stooflappen en saucijzen deed denken. En dus? Was de Cayenne van de Walkure en was de Walkure Belgische? Of reisde Isodorus onder een van die vele paspoorten die net zo vals waren als zijn tanden? De tanden van Isodorus welteverstaan.

En dan schrok hij op van jankende banden en zag hij een donkerblauwe Peugeot wegrazen en bijna een geparkeerd autootje rammen waarin hij verbaasd dat weinig succesvolle Hollandse Dafje 33 herkende. Een tomaatrood Dafje met een oud, want blauw Hollands kenteken, waaruit een jonge vrouw met opgestoken donker haar stapte die de Peugeot woedend nakeek en naar de ingang van Le Cheval Blanc liep, waar ze de geüniformeerde portier aansprak. Die zijn hoofd schudde en in de richting wees waarin de Peugeot was weggeraasd.

'Honger!' zei d'Aubry achter hem. ''k Dacht dat 'ie nooit weg zou gaan! En ik neem aan dat je er straks geen gebakken uitjes bij wilt, wat?'

4

Enkele uren later zwaaide de Schaduw in 't donker omhoog naar waar hij d'Aubry vermoedde en nam vervolgens verzadigd van oesters, speenvarken en crême brûlée, en tevens rozig van de kostelijke Fontcreuse en een even kostelijke Calvá, plaats op de achterbank van de taxi. En schrok op van de jankende sirene van een politiewagen die de taxi sneed zodat de taxichauffeur luidkeels het ganselijke Parijse politiekorps tot in de derde generatie vervloekte.

'Gaarne eerst naar Hotel Bellevue,' glimlachte de Schaduw, stak vervolgens met Schwoppekes zippo een verse Willem II Nobel aan en tuurde loom naar 't immer drukke Parijse verkeer. Mogelijk had Schwoppeke nog bezoek, mogelijk was Schwoppeke al onder zeil, 't maakte niet uit, hij zou de aansteker bij de receptie afgeven en dan was 't als de bliksem zelf onder dat zeil, want het was inmiddels ruim achttien uur geleden dat hij naast de dierbare was ontwaakt bij de Uyttenbogaerts in Amsterdam. En vast en zeker lagen de dierbare en Madeleine inmiddels al lang op beider oor in een Vogees' hotelletje, want Noor had halverwege het speenvarken gebeld dat het allemaal goed was verlopen. Ook en vooral met de Bentley.

Het was exact middernacht toen hij bij het Bellevue uitstapte en zich afvroeg wat er zo Belle aan de Vue was, of beter, was gewéést, want ertegenover rees een betonnen monstrum naar de nachthemel dat de Schaduw deed huiveren, hoewel het zomerwindje lauw was. Ongetwijfeld was 't monstrum Kunst en had 't even ongetwijfeld een bák geld gekost, maar wát 't voorstelde?

'We mogen hangen,' zei de Schaduw. 'Of beter: "ze".' En hij bedoelde zowel architecten, planologen, kunsten- en potsenmakers als een zeker persoon in het Élysée die dan wel het postuurtje en de grootheidswaanzin van Napoleon had, maar wiens veroveringsdrang zich voornamelijk richtte op eigendunk, een oversekst doch middelmatig zangeresje met dubieuze achtergrond en een architectonische nalatenschap die hooguit slopers en handelaren in schroot en oud ijzer tot plezier kon stemmen.

De glazen deuren van de entree weken uiteen en hij betrad een spaarzaam verlichte hal waar 't naar gebakken kip rook. Welks karkas op een krant naast een glas verschaald bier lag. En kennelijk was afgekloven door een snurkend manspersoon wiens kale hoofd naast een monitor op de linkerelleboog rustte. De krant, zag de Schaduw, was een exemplaar van *Le Figaro* waarop een grote foto van het middelmatige zangeresje prijkte.

'Huu!' zei de Schaduw, want hij kreeg ogenblikkelijk kippenvel. En wel van 't kippenvel dat vet en gelig op de krant glansde. 't Snurken stopte even, herbegon dan reutelend als een trein die een wissel nam.

'En waar,' mompelde de Schaduw, 'heeft Snurkmans 't gastenboek, of is 't allemaal eigentijds digitaal opgeslagen?' Hij boog zich al naar 't scherm toen hij verstijfde vanwege een kreet die ergens in het duister boven aan een trap achter de receptie klonk. En 't was geen kreet van wellust of blijde verrassing, maar overduidelijk één van angst en pijn en doodsnood. Nog in de echo ervan klonk de kreet opnieuw, maar brak af toen de Schaduw al halverwege de trap was, de weldadige rozigheid verdwenen, hersens en oren spitser dan spits. Vervolgens was 't akelig stil op het gereutel van Snurkmans na. De Schaduw sloop verder en betreurde het gemis van het dierbare kaliber .45 onder de oksel. De kreten, meende hij, hadden links boven aan de trap geklonken en naar hij dacht vanachter een deur waarop twee koperen enen in 't schemerig licht van een muurlampje glansden. Weshalve hij daar al heen sloop, toen hij voetstappen achter de deur hoorde en haastig achteruitweek. Waarop hij onzacht met iets hards in aanraking kwam en er vervolgens iets anders met veel kabaal op de grond viel. Waarna de deur hoorbaar in het slot werd gedraaid en de Schaduw een vloek binnenhield, in dezelfde seconde een blinkend gepoetste molière in de aanslag bracht en daarmee pal onder de klink trapte. En nogmaals, en opnieuw tot de deur krakend en scheurend week. Waardoor Snurkmans eindelijk wakker schrok en brulde wat er *nom d'un chien*! aan de hand was.

Uit de deuropening woei een lauw zomernachtwindje de Schaduw in 't verhitte gezicht, benevens de geur van een parfum met het aroma van verse amandelen. Er moest dus een raam openstaan. Een vrouw in nood? Aangevallen? En waar was ze dan? Even stond hij roerloos, de ogen samengeknepen, de adem in. Dan onderscheidde hij in het schemerig licht een gordijn dat zachtjes heen en weer bewoog. De eerste gedachte was daarheen te rennen, maar de Inwendige waarschuwde dat níét te doen want je wist immers maar nooit. En ook het licht niet aan te knippen, wilde hij geen schietschijf zijn. Voor zover hij kon zien, was er niemand in de kamer. Een kamer waarin een lits-jumeaux schemerde, een hangkast, een tafeltje, een fauteuil en een deur die vermoedelijk toegang gaf tot bad en toilet. Was daar iemand?

'Hallo!' riep de Schaduw, 'is er iemand?'

Geschrokken draaide hij zich om toen in de gang achter hem het licht aanfloepte. Dat op een wandtafeltje viel waaronder de scherven van een vaas lagen. In de deuropening ernaast staarde een jonge vrouw in nachtpon en met een handdoek om heur haar hem dodelijk beangst aan, maar voor hij iets kon zeggen, verdween ze haar kamer in en sloeg de deur achter zich dicht. Maar in die enkele seconde bekroop hem een déjà-vu-gevoel. Maar dan zag hij het kale hoofd van Snurkmans boven aan de trap opdoemen. Snurkmans, die schreeuwde of er iemand van de ratten was gebeten, en dat hij de smerissen zou bellen, en dat hij God hier en God daar en God ginder! Maar de Schaduw luisterde al niet meer naar het vervolg van de theologische verhandeling, holde naar het gordijn, rukte het opzij en tuurde langs een brandtrap naar een donkere wagen die met gedoofde lichten en vol gas een smal straatje inschoot en met jankende banden verdween.

En de Schaduw vloekte omdat 't te donker was om iets te onderscheiden, laat staan het kenteken. Achter hem klonk geluid, zodat hij zich omdraaide. In het licht van het badkamertje zag hij Snurkmans staan. Snurkmans die opnieuw schreeuwde. En ditmaal niet woedend, maar van ontzetting.

'Móórd!' schreeuwde Snurkmans met overslaande stem. 'Móó...' Met van angst uitpuilende ogen zweeg hij toen de Schaduw als een schim naar hem toe kwam.

'Als je toch op 't punt stond de smerissen te bellen,' zei de Schim, 'doe 't dan als de bliksem en zeg dat je 't namens de Schaduw doet.

En stuur de gasten met dezelfde bliksem naar hun kamers en laat ze binnen blijven!'

Want op de gang klonken opgewonden stemmen, en twee slaperige hoofden loerden geschrokken de kamer in.

En 't wás moord, zag de Schaduw toen hij het badkamertje in liep. Waar Schwoppeke in het lege bad lag. Wat letterlijk een bloedbad was, want 't bloed stroomde langs een grote dolk die tot aan 't heft in de hartstreek onder een doorweekte pyjama stak. En de Schaduw huiverde opnieuw. Maar niet omdat de blik in de kinderlijke oogjes zo onmiskenbaar die van een dode was. Want op het heft van de dolk schitterde een gouden adelaar met gespreide vleugels en met de klauwen gekromd over de omcirkelde swastika. Zodat hij ook zo wel, zonder het lemmet uit Schwoppekes hart te hoeven trekken, wist dat daarop in sierlijk gegraveerde gotische letters 'Unsere Ehe heisst Treue' zou staan, de leuze van Adolf Hitlers keurkorps van beroepsmoordenaars SS, de Schutz Staffeln. Al vond de Schaduw dat 't eerder stond voor Smerige Schoften of Sinister Schorum.

Dus waren 't Schwoppekes doodskreten geweest die hij had gehoord. Waaróm was hij vermoord? En door wie? En waarom dan uitgerekend en zo opzichtig met dat mes? Wraak? In 't schaduwiaanse brein ruiste muziek, en niet de Mars van de Tinnen Soldaatjes die doorgaans schallend het Avontuur aankondigde, maar die andere marsmuziek van slaande trommels en ketsende laarzen, muziek van Haat, Terreur en Dood. Was 't wraak vanwege de foto met de dode Bonnermann en de ongetwijfeld even dode Von Schmalensee? Een waarschuwing? Maar voor wie dan?

En van wie was 't amandelenparfum?

Hij sloot de badkamerdeur achter zich, knipte het grote licht aan en keek de kamer weer rond. En zag het koffertje naast de fauteuil liggen. Geopend en op zijn kant alsof het was gevallen. Hij knielde ernaast, wikkelde zijn zakdoek om zijn vingertoppen en haalde er enkele mappen uit met paperassen betreffende S.J.L. Uijenkruiers Zwiebeln Geschäft, een plattegrond van Parijs, een carnet van de metro, een treinretour van Bad Honnef am Rein via Lille naar Parijs en een vuistdikke roman die hem een grimlachje ontlokte, want de titel luidde Normandische Nocturne en de schrijfster was getuige de

foto achterop een buitengewoon aantrekkelijke jonge vrouw genaamd Eleonora Campbell. Tussen de pagina's stak een rekening
van een taxibedrijf uit Lille, de datum van enkele dagen geleden, het
bedrag 124 euro.

En verder zat er niets anders in de tas dan een halfleeg doosje
sprieterige havanna's. Maar geen in leer gebonden manuscript noch
een envelop waarin een zwart-witfoto.

Zodat 't wel duidelijk was, meende de Schaduw, dat 'waarom'.

Peinzend snoof hij de amandellucht op. Was 't mogelijk het parfum van de Nederlandse met wie Schwoppeke een afspraak had gehad? Was zij de moordenares? Maar waarom had ze dan de foto
eerder voor Schwoppeke afgegeven? En waarom was hij dan in pyjama? Hij had haar immers niet gekend, alleen geweten dat ze zich
Lotje noemde. En had om negen uur met hem afgesproken terwijl
het nu al na middernacht was. Het leek er dus op dat ze was vertrokken en dat Schwoppeke zich net te ruste had willen begeven. Had
Snurkmans Lotje het hotel zien binnenkomen, weer weg zien gaan?
Of had hij toen al geslapen? Was Schwoppekes moordenaar – of
moordenares – door 't raam gekomen? En de deur afgesloten omdat
een zeker persoon zo stom was geweest tegen een tafeltje op te lazeren? Waarna de moordenaar M/V weer door 't raam was verdwenen. Met een auto die in het zijstraatje had gestaan om geen aandacht te trekken. Met mogelijk een trawant M/V aan 't stuur die...

De Schaduw stond stokstijf terwijl de gedachte als een kolkende geiser tussen zijn oren omhoog borrelde en hij zachtjes een zekere Charles
Coriolanus Macchabeus Carlier, beter bekend als de Schaduw, vervloekte omdat die Charles Coriolanus Macchabeus 't niet eerder had
bedacht. Kón het? Had Isodorus in Le Cheval Blanc postgevat om
Schwoppeke in de gaten te houden? Was de Walkure dan de trawant?

En was 't parfum het hare? Want wát je ook kon zeggen van Isodorus – en dat besloeg een strafdossier dat dikker was dan het Wetboek van Strafrecht, van de A van Afpersing tot de Z van Zwendel –
de M van Moord kwam er niet in voor. En evenmin die dubbele S.
Had de Walkure Schwoppeke vermoord vanwege de foto en de memoires van zijn oom? Een dolk van dat inktzwarte keurkorps uit
't voormalige Derde Rijk, immers het stamland der Walkures. Waar
ook wijlen Schwoppeke had gewoond.

Of was 't onzin en lag Isodoor allang op één oor, al dan niet met de Walkure?

De Schaduw trok de kast open waarin Schwoppekes plusfour, vestje en fluwelen jasje hingen, zijn schoenen en een koffer eronder, ondergoed en sokken keurig op de planken. Had Schwoppeke een mobieltje gehad? En zo ja, waar wás 't dan?

Hij bukte en gluurde onder de lits-jumeaux, zag twee geruite pantoffels, kwam weer overeind, keek in het nachtkastje waarin de bijbel en een telefoongids lagen en waarop een kandelaar en de glazen van Schwoppekes bril glansden. En 't ontging de Schaduw niet dat er op die kandelaar donkere plekken glommen. Ernaast lag een zakagenda met op de eerste pagina Schwoppekes personalia.

Ergens achter het gordijn klonk een sirene, dan motorgeronk, dan klappende portieren. Snurkmans had dus inderdaad de smerissen gebeld. De Schaduw geeuwde, plukte een sprieterige havanna uit 't doosje, dacht zuchtend aan 't riante bed in de even riante slaapkamer aan de Avenue de Neuilly en zocht naar een asbak toen er voetstappen op de trap roffelden.

En een stem riep: 'Schaduw?'

En de Schaduw stond roerloos want 't was een stem die hij maar al te goed kende, een stem die al tijdens zoveel avonturen en onder zoveel bizarre omstandigheden datzelfde 'Schaduw?' had geroepen.

Silvère? dacht de Schaduw verbluft. Wat deed hoofdcommissaris Bruno Silvère hier? Silvère, die met zijn geliefde Manon juist deze week dat hij, Schaduw, hier in Parijs was, dáár in Villa des Ombres van de geneugten van de Provence en van zuster Theresa wilde genieten!

En hij wilde al roepen waar hij was toen hij opkeek omdat een windvlaag het gordijn deed wapperen. En hij de envelop onder het raam zag liggen.

5

Sikkeneurig was 't woord. Sikkeneurig en chagrijnig. En met de pest in 't vermoeide lijf waarin de gitzwarte koffie van Snurkmans de naweeën van Fontcreuse en Calvados bestreed. Die pest betrof het alibi van Isodorus en de Walkure. Een alibi als een blok beton voor de afgelopen uren, te weten vanaf 20.00 uur de vorige avond tot nu, 02.14 uur deze volgende veel te vroege ochtend. Waarin hij, Schaduw, nog steeds in het Bellevue vertoefde in plaats van in zijn riante hemelbed.

Isodoor en de Walkure, wier naam, zo wist hij nu ook, Lumina Zagwijn was, hadden namelijk in Le Cheval Blanc een afspraak gehad. En wel tot des Schaduws verbazing met de oude, witgekuifde man die hij daar uit de roomwitte Lincoln Townscar had zien uitstappen. Zijnde de al bij leven legendarische markies Octavio Antonius Lepidus de Cantaloupe, ex-verzetsheld, ex-president van de buitengewoon exclusieve Banque de Cantaloupe en internationaal gerenommeerd verzamelaar van zestiende- en zeventiende-eeuwse schilderkunst.

En voorts dood was. De markies was namelijk rond middernacht met een kogelgat in zijn nek in het Bois de Boulogne aangetroffen door een surveillancewagen van de Parijse politie. Of hij daar of elders was doodgeschoten, was onbekend, evenmin wie hem daar dan dood of levend heen had gebracht. Niet, in elk geval, zijn chauffeur annex lijfwacht die hem eerder in de Lincoln naar Le Cheval Blanc had gebracht. Waar De Cantaloupe dus die afspraak met Isodorus en de hoogblonde Lumina had gehad betreffende de aankoop van een ijslandschap van de Hollandse schilder Van Ostade. Toen Silvère dat zojuist vertelde, had de Schaduw zich herinnerd dat Isodorus ooit in de kunsthandel had gezeten, kunst die net als zijn paspoorten dikwijls van onbestemde herkomst was, dan wel uit de ateliers van meestervervalsers, maar desondanks. En volgens Silvère had Isodoor in zijn duistere verleden wel meer schilderijen aan De Cantaloupe geleverd. De Van Ostade was bezit van Lumina's vader, een zekere Zibbedeus Zagwijn.

Kortom, Isodorus had daar in Le Cheval Blanc bemiddeld bij de ver- en aankoop van het schilderij. De Cantaloupe had interesse getoond en toegezegd het ijslandschap te komen bezichtigen. Het gesprek had een klein uur geduurd omdat hij, zei hij, om acht uur een andere afspraak in datzelfde restaurant had. Met wie was onbekend, volgens zijn inderhaast wakker gebelde secretaris. Even voor acht had de markies echter een telefoontje gekregen dat die afspraak elders was en dat buiten het restaurant een donkerblauwe Peugeot stond te wachten om hem daarheen te rijden. Waarop hij dat telefonisch aan zijn chauffeur annex lijfwacht had doorgegeven met de mededeling later opnieuw te bellen wanneer hij terug zou zijn in Le Cheval Blanc.

En de Schaduw had zich, verbaasd over het toeval, de donkerblauwe Peugeot herinnerd die bijna het Dafje had geschept. Zoals hij zich nog steeds verbaasde over datzelfde toeval dat Silvère hier had gebracht. Om acht uur had namelijk een jonge vrouw aan de portier van Le Cheval Blanc laten weten een afspraak met de markies De Cantaloupe te hebben. Ze had wel haar naam genoemd, maar die had de portier niet onthouden, behalve dat het hem een buitenlandse leek; vanwege de drukte had hij ook geen signalement van haar, maar hij wist nog wel dat ze erg nerveus was toen hij had gezegd dat de markies net was vertrokken om pas later terug te komen. Waarop ze had gevraagd of de portier dan zo vriendelijk wilde zijn een boodschap aan de markies door te geven. Die ze op een kaartje had gekrabbeld, een korte mededeling in het Frans dat ze helaas geen tijd had, maar hem morgen zou bellen.

Het kaartje was er één van het hotel Bellevue.

En vandaar dat de gealarmeerde Silvère daar was binnengestormd, aangezien hij een uur eerder was gebeld dat het lijk van De Cantaloupe was gevonden. Want de chauffeur annex lijfwacht had vanzelfsprekend alarm geslagen toen zijn baas niets meer van zich had laten horen. Een melding van een door 't Bois de Boulogne voortrazende wagen, vermoedelijk een Peugeot, had de politiesurveillance daarheen gevoerd.

En daarmee was de eerste conclusie dat De Cantaloupe zijn moordenaar (of moordenares dan wel moordenaars) had gekend en had vertrouwd. En als er al een tweede conclusie was, dan luidde die dat Isodorus en Lumina 't níét waren. Want de aan de Schaduw welbekende hoofdinspecteur Pompidou kon bevestigen dat het duo Stooflap en Braadworst, na in Le Cheval Blanc getafeld te hebben, rond tien uur was vertrokken, volgens eigen telefonisch zeggen naar Lumina's woonplaats in de Belgische Ardennen. En dus leek 't er eveneens sterk op dat Isodorus wat die andere brute moord op Schwoppeke betrof ook zo onschuldig was als een verdwaalde non op Pigalle. Wat de Schaduw toch graag en nauwkeurig wilde laten verifiëren. Zoals hij ook nog steeds graag zou willen weten hoe en wanneer Isodorus het staatshotel in Saint Quentin had verlaten.

En vooral ook wie de vrouw was die een afspraak met De Cantaloupe had gehad. En waarover dan wel. En waarom zo toevallig een kaartje van het Bellevue?

Hij stak een zoveelste sigaar aan en tuurde nadenkend naar zijn aantekeningen.

Volgens Snurkmans was Schwoppeke de vorige dag gearriveerd en voor zaken op pad geweest die inderdaad in zijn zakagenda stonden genoteerd. Hij had gezegd elders te dineren en was even voor negenen met een taxi weer teruggekomen. En ook dat had hij opgeschreven, onder de afspraak met d'Aubry om 19.00: *21.00, Bellevue.* Dat moest dus de afspraak betreffen met Lotje over de memoires van zijn oom Paddeke. Die verdwenen waren. 't Kon natuurlijk dat Schwoppeke ze haar had geleend, al betwijfelde de Schaduw dat hevig. Het leek er immers op dat de moordenaar het manuscript uit de tas had gehaald en zich ijlings uit de voeten had gemaakt waarbij de envelop met de foto tussen de bladzijden uit was gegleden. Dus nam de Schaduw aan dat Schwoppeke de memoires na het gesprek met Lotje weer in de tas had gestopt, mogelijk nog televisie had gekeken of wat had gelezen en zich daarna in pyjama had gehuld. Al kón 't natuurlijk dat ze langer was gebleven, en zelfs dat de pyjama op een erotisch onderonsje duidde, onvoorstelbaar als dat ook scheen. Maar in navolging van zijn illustere voorganger Sherlock Holmes wist de Schaduw uit lange ervaring dat onvoorstelbaar allerminst onbestáánbaar betekende. Niets in de kamer duidde echter op zo'n erotisch onderonsje dat in een crime passionnel was geëindigd. En dan nog: waarom uitgerekend die gruwelijke dolk van Hitlers schorremorrie?

Er was echter nóg iets wat niet klopte. Want vreemd genoeg beweerde Snurkmans stellig dat er rond negen uur niemand was binnengekomen die naar Schwoppeke had gevraagd. Geen man, geen vrouw, geen kip.

'Of,' had de Schaduw gezegd, 'was 't soms omdat je juist toen dat kippetje haalde? Niet dat ik iets tegen kip heb, want zoals 't gezegde luidt: kip ik héb je, maar dat is nu juist het probleem, zie je, ik heb hem níét.'

Maar ook daar was Snurkmans stellig over: 't kippetje bleek niet gehaald maar gebracht en wel vanuit de keuken van zijn eigen Bellevue. En hij was aantoonbaar pas rond een uur of elf in slaap gevallen aangezien hij tot die tijd kamersleutels had uitgedeeld en ingenomen, getelefoneerd, gemaild en met gasten gesproken. Had Lotje afgebeld? Gebeld dat ze later kwam? Niet naar de receptie in elk geval. En anderszins had ze ook niet binnen kunnen komen, aangezien de achteringang uitkwam op de keuken waar onafgebroken een kok, koksmaat en keukenhulpje in de weer waren geweest. Dus ofwel was de mysterieuze Lotje nooit verschenen, ofwel veel later, dan wel was ze door 't raam binnengekomen. En al zei diezelfde lange ervaring de Schaduw ook dat niets minder voorspelbaar was dan een vrouw, tenzij een bal gehakt, waarom zóú ze, als ze toch een afspraak had? Omdat ze niet gezien wilde worden? Volgens Schwoppeke had ze immers angstig geklonken aan de telefoon. Was ze bang geweest gevolgd te worden? En daarom de brandtrap opgeslopen en op 't raam geklopt?

Maar waarom had ze dan eerder de envelop met de foto voor hem bij de receptie afgegeven? Ook daar wist Snurkmans overigens niets van, al nam hij aan dat het om een jonge, blonde vrouw ging die eerder die dag bij een kamermeisje had geïnformeerd of Schwoppeke er was.

De envelop had bij de receptie gelegen. En dus was dat voorlopig alles, een jonge, blonde Lotje. Die dus niet – waar de Schaduw natuurlijk toch aan had gedacht – de vrouw was die bij Le Cheval Blanc naar De Cantaloupe had gevraagd, die immers donker haar had gehad. Tenzij ze 't geverfd had, wat hem sterk leek in die korte tijd.

't Was allemaal zo vergezocht als de weg naar El Dorado, vond de Schaduw, temeer daar het warm was geweest en het raam dus al eerder om die reden kon zijn geopend. Hij maakte zich geen illusies over vingerafdrukken, maar je kon nooit weten. Hoe dan ook was het de vraag van wie 't parfum was, want van Schwoppeke was 't níét. En als 't niet van Lotje was, van wie dan wel? En wie had dan nog meer van de memoires en de foto geweten?

Getuige een kolossale bloeduitstorting in zijn nek was Schwoppeke eerst met een zwaar voorwerp neergeslagen. Wat zijn laatste afgebroken kreet verklaarde. En omdat de kandelaar op 't nachtkastje bloedsporen vertoonde, leek het erop dat die het zware voorwerp was geweest, zodat de kandelaar, net als Schwoppekes tas en het mes, meteen naar de Sûreté was gestuurd om op vingerafdrukken te worden gescreend.

Inmiddels was 't bijna halfdrie en was de hele santenkraam aan technisch en tactisch rechercheurs eindelijk vertrokken, evenals wijlen Schwoppeke die onderweg naar het Hiernamaals de noodzakelijke tussenstop in 't mortuarium maakte in afwachting van een ander mes, en wel van de lijkschouwer. Inmiddels was ook de Schaduw, als je dat zo mocht zeggen, over 't dode punt van slaap en vermoeidheid heen dankzij de tweede pot inktzwarte koffie die Snurkmans gedienstig naar de lounge had gebracht.

Waar Silvère en hij 't op zich hadden genomen de hotelgasten te horen, want je kon niet weten. En zo wás 't ook helaas. Want niemand die iets wist of had gezien tot hij, de Schaduw, de deur had opengetrapt.

Afgezien van Schwoppeke verbleven er twaalf andere gasten in het hotel van wie er nu elf waren gehoord en er twee problemen opleverden omdat 't een echtpaar was uit Tadzjikistan dat geen woord Frans, Engels, Duits, Spaans, Italiaans of Nederlands sprak, waarin de Schaduw zich met aflopende bekwaamheid kon uiten. Dus was 't handen en voeten geworden, maar 't gewapper en gewuif had net zomin iets opgeleverd als de gesprekken met een Amerikaanse fotografe, een Zwitsers stelletje op huwelijksreis, een stokoude Parijzenaar die er al twee jaar woonde, een Chinese zakenman uit Sjanghai met een Française uit een bordeel in de Rue St. Denis en drie Duitse nonnen op doorreis naar Lourdes. Alle elf waren inmiddels elders ondergebracht zodat 't wachten was op de laatste gaste, die Silvère nu boven was gaan halen. Volgens 't gastenboek ging het om een Nederlandse die in de middag was gearriveerd, genaamd Charlotte Dirckx, in kamer 12 zodat de Schaduw ervan uitging dat zij de vrouw was die hem zo angstig in de gang had opgenomen toen hij Schwoppekes deur opentrapte.

En waar blééf Silvère, dacht de Schaduw. Was de Nederlandse weer in slaap gevallen en diende zij eerst toilet te maken? Hij schonk zich de laatste koffie in en vroeg zich opnieuw af wat er in de memoires kon staan dat Schwoppeke ervoor was vermoord. Iets over die August Loutertopf? Want daar had Lotje Schwoppeke immers naar gevraagd? En wat had Paddeke bedoeld met die merkwaardige notitie dat August 'het' moest hebben?

Het. Wat wás 't?

Had Schwoppekes moordenaar 't geweten? Wíllen weten? En was 't niet net zo frustrerend dat ook Schwoppeke, handelaar in al dan niet geflinterde, ingemaakte en gebakken uien, eigenlijk net zo'n onbekende was? 't Enige bekende was dat hij ongehuwd was en woonachtig, volgens het register van het Bellevue, in Bad Honnef am Rein, waarvandaan hij vorige week ook per trein naar Parijs was vertrokken. Via Lille, waar hij een taxi had genomen waarvan de ritprijs 124 euro had bedragen. Zodat de Schaduw aannam dat Schwoppekes bestemming búíten Lille had gelegen en dus heel wel dat tehuis kon zijn waar Paddeke kortgeleden zijn laatste adem had uitgeblazen. En wat dus ook diende te worden nagegaan. Vooral die laatste adem, vond de Schaduw.

En daar was Silvère. Lang en jaloersmakend fit voor een man die net als de Schaduw geen nachtrust had genoten. Maar ook opgewonden, zodat de Schaduw de wenkbrauwen vragend fronste.

'Ze,' zei Silvère terwijl hij ging zitten, 'is er niet meer. Ze moet vannacht, toen jij met Snurkmans in Schwoppekes kamer was, haar bullen hebben gepakt en zijn vertrokken.' Hij ging zitten en diepte een vel papier en een klein amberkleurig flesje op uit de zak van zijn colbert. 'En 'k zal je nog wat vertellen, Schaduw. Ik denk dat zij ook degene was met wie Schwoppeke die afspraak had, een gaste die hier gisterochtend inboekte. Begrijp je? Snurkmans zei dat er gisteravond niemand om negen uur gevraagd had naar Schwoppeke. Dat hoefde ook niet, want ze logeerde tegenover hem.' Waarop hij het flesje opende en ophield naar de Schaduw, die de geur van verse amandelen opsnoof.

'En dit is 'r', zei Silvère en hij legde het vel neer, een kopie van de pagina uit een Nederlands paspoort.

'Charlotte Dirckx', zei Silvère. 'Geboren in 1983 in Penneshaw, Kangaroo Island, Australië. Maar Nederlandse dus. We worden oud, Schaduw, want is Lotje geen afkorting van Charlotte?'

Maar de Schaduw zei niets en staarde naar de pasfoto. En wist in een flits waar hij de angstige vrouw in de gang eerder had gezien. En ook wanneer. Namelijk de vorige avond zo rond acht uur bij Le Cheval Blanc, toen ze woedend vanwege de Peugeot uit een Neder- lands Dafje was gestapt.

6

Het klokgelui van de Église de la Coeur Sacrale mengde zich met de bronzen klanken van de Église Luthérienne, waarop het carillon van de Église Reformée tinkelend inviel en een seconde later het geklepel van de oudevangelische christengemeenschap weerklonk, zodat het geheel in een perfecte oecumenische *close harmony* beierend hemelwaarts steeg. Het werd op zevenhoog, op het balkonterras van zijn riante pied-à-terre aan de Avenue de Neuilly, met een half oor door de Schaduw beluisterd die een beboterde croissant peuzelde en de voorpagina's van de zojuist aangeschafte zondagskranten spelde. 'Spellen' was overigens 't woord niet, want zelfs zonder leesbril waren 't koeienletters waarin kond werd gedaan van de moord op markies Octavius Antonius Lepidus de Cantaloupe. Dikbilkoeienletters met dikbilkoeienuitroeptekens afkomstig uit een wel erg dun synoniemenboekje, vond de Schaduw. En weemoedig dacht hij even aan de moord- en doodslagverslagen van Jean d'Aubry in dat allang niet meer bestaande *Dernière Heure,* waarin 't laatste uur van de zo diep betreurde Octavius ongetwijfeld minder spectaculair maar wel een stuk doorwrochter zou zijn beschreven. Nu was 't niet veel meer dan *Terrible, Horrible, Penible* en nog meer iebels tussen de obligate foto's van de plaats delict, van De Cantaloupes landgoed, van de alom betreurde edelman zelf, mét en zonder exen tussen zijn standbeelden en schilderijen, in het gezelschap van filmsterren en politici, op zijn jacht, in zijn privévliegtuig en bij zijn villa in Monaco. Plus een uitgebreid cv waaruit onder meer bleek dat hij zijn geschat vermogen van meer dan honderd miljoen benevens zijn onschatbare kunstverzameling naliet aan zijn 29-jarige echtgenote, wier foto een zwaar gedecolleteerde blondine naast een ongeschoren jongeman liet zien die volgens het onderschrift 'een goede huisvriend en een steun en toeverlaat' was. Maar vooral, vond de Schaduw, die allerminst misantroop was, maar wel gezegend met een rijke kennis van de menselijke soort en haar hebbelijkheden alsmede met een gezonde portie vooroordelen, een gladjakker en gladjanus. Zodat die steun ongetwijfeld bijstand tegen betaling inhield en dan van een iets andere orde dan aan 't loket van de sociale dienst.

En veel wijzer dan hij al was na Silvères mededelingen werd hij niet van al die dikbil-letters: de markies had na een telefoontje het restaurant verlaten, was achter in een donkerblauwe Peugeot gestapt en om middernacht met een dodelijk nekschot in het Bois de Boulogne gevonden, op nog geen steenworp afstand waar de Schaduw nu de eerste sigaar van de dag opstak. De markies was niet beroofd, hoewel zijn mobieltje weg was. Wat de Schaduw onvermijdelijk even aan Schwoppeke deed denken, die immers mogelijk ook een mobieltje had gehad dat eveneens foetsie was. In beide gevallen dan waarschijnlijk vanwege ingebelde nummers. Bij De Cantaloupe met name dat van degene die hem in Le Cheval Blanc had gebeld. Ongetwijfeld ging het om een bekende van de markies. Eerder had hij in Le Cheval Blanc met twee zakelijke kennissen gesproken over de aankoop van een schilderij. Wie dat waren geweest, wisten de kranten niet, wél dat ze niets met de moord van doen hadden, temeer omdat het schilderij hen ruim tien miljoen had kunnen opleveren.

Over een vrouw die naar De Cantaloupe had gevraagd en een kaartje had achtergelaten, werd niet gerept. Voor zover bekend had de politie geen enkele aanwijzing. En verder was 't onderzoek in handen gegeven van hoofdcommissaris Bruno Silvère, die echter geen commentaar had of wilde geven. Behalve dat 't dus niet om kidnap of roof ging.

Zodat de kranten het vooralsnog op wraak hielden, een motief dat natuurlijk de afgelopen nacht al eerder bij Silvère en de Schaduw was opgeborreld. Dus was 't als zo vaak: Wie, Wat, Waarom of Hoe? In dikbil-letters.

Weshalve de Schaduw al rokend en koffielurkend verder langs de gebruikelijke kolommen Schandalen, Sensatie, Seks, Society, Sport en andere Sappigheden bladerde en tevreden constateerde dat de moord op Schwoppeke Uijenkruijer nergens werd vermeld. Wat vermoedelijk kwam door 't late uur de afgelopen nacht. Maar veel vermoedelijker omdat Snurkmans, kok, koksmaat en keukenhulpje alsmede de elf gasten vriendelijk doch onder dreiging van water en droog brood gesommeerd waren hun snuit te houden. Want zowel de Schaduw als Silvère had het bekende broertje dood aan het journaille dat zo vaak een blok aan het toch al manke been was.

Zodat de moord op Schwoppeke slechts bekend was bij enkele anderen, te weten die elf gasten, het hotelpersoneel, de spoorloos zijnde moordenaar dan wel moordenaars en vermoedelijk ook bij de wél bekende twaalfde gaste, geheten Charlotte Dirckx, dan wel Lotje, evenzeer spoorloos. En niet treinend, dacht de Schaduw, en dat was niet eens lollig bedoeld want ook van dat Dafje geen spoor. Bleef de levensgrote vraag waarom ze zo ijlings uit Hotel Bellevue was verdwenen. Uit angst? Want van één ding was de Schaduw nu zeker. Lotje kon Schwoppeke onmogelijk hebben vermoord. Ze was immers opgedoken toen hij Schwoppekes kamerdeur had ingetrapt. En ze wás bang geweest, doodsbang. Naar hij aannam voor hém, een vent rond 't middernachtelijk uur bij een ingetrapte deur. Bovendien een deur van iemand die ze kende en in wiens kamer ze was geweest, want het was immers haar parfum dat hij had geroken.

In dat verhitte moment in de gang van Bellevue had hij niet meer dan een glimp van haar opgevangen, een bleek gezicht met grote donkere ogen, een aantrekkelijke jonge vrouw in een korte, witte nachtjapon en met een badhanddoek om 't haar. Donker haar, wist hij nu. En niet blond. Dus wie was dan de blonde vrouw geweest die eerder die dag bij het kamermeisje naar Schwoppeke had geïnformeerd?

En de Schaduw zuchtte en dacht aan zo veelgezegde gezegde 'Cherchez la femme' dat zo vaak neerkwam op 'Recherchez la femme'.

En waar was Lotje dan?

Silvère had gelijk: ze had zich waarschijnlijk razendsnel aangekleed en haar boeltje gepakt en was net zo razendsnel vertrokken, terwijl hij met Snurkmans in Schwoppekes kamer was. Meer dan dat ze volgens de kopie van haar paspoort Charlotte Dirckx heette, 28 jaar oud was, geboren in Australië maar als woonplaats 's-Heerendal in Nederlands Limburg had opgegeven, was onbekend. En even had er vanwege dat 's-Heerendal een lampje in het schaduwiaans brein geflakkerd want die vreemde naam zei hem iets. Was hij er soms ooit geweest, onderweg bijvoorbeeld naar de Hollandse vrienden? 't Kon, maar evengoed kon hij zich vergissen. Hij had immers zovéél gereisd achter het internationale Gespuis aan en ter bescherming van weduwen en wezen!

In elk geval had Lotje geweten van het bestaan van de oude Paddeke Uijenkruier, want ze had hem willen bezoeken. En vanwege zijn memoires ook Schwoppeke.

En wie had daar dan nog meer van geweten? Volgens Schwoppeke had de directrice van het tehuis de memoires onder 't tapijt gevonden en ze hem eergisteren gegeven. Dus was 't raadzaam die directrice te spreken. In Schwoppekes agenda stond bij die dag slechts één afspraak: 14.00 uur oom Paddeke. Zonder adres. Maar wel had hij in Lille een taxi genomen en 124 euro voor de rit betaald.

De Schaduw rookte en tuurde naar 't weinige verkeer beneden hem en piekerde over de mogelijke connectie tussen die Paddeke, Schwoppeke, Lotje en De Cantaloupe. In elk geval had zij niet dat mysterieuze telefoontje naar De Cantaloupe gepleegd, want ze had hem juist in Le Cheval Blanc willen spreken. Tenzij. Tenzij 't een duivels slim alibi was en ze een handlanger had gehad in die Peugeot. Maar alweer, wat was de connectie? Paddeke, Schwoppeke, De Cantaloupe, Lotje. Drie dode mannen, een voortvluchtige vrouw.

Ergens tussen de kranten klonken de eerste maten van de *Danse Macabre* van Saint-Saëns. De Schaduw viste zijn mobiel onder de *Figaro* vandaan en nam op.

'Silvère,' zei Silvère. 'Ik sta op het punt de weduwe De Cantaloupe te bezoeken, maar ik wilde je even informeren. A, 't bloed op de kandelaar is inderdaad van Schwoppeke Uijenkruijer. Vingerafdrukken erop alleen van 't kamermeisje. Die 't niet gedaan kan hebben, want afwezig was. Verder in de kamer de tengels van Schwoppeke, van jou, van Snurkmans en van die Lotje Dirckx want ze corresponderen met de hare in haar kamer. Voorts in beide kamers vingers van een aantal onbekenden, mogelijk ook van vorige gasten. Geen vingerafdrukken op het mes. Dus droeg de moordenaar handschoenen.'

De Schaduw knikte, hield de opmerking binnen dat 't ook een moordenares kon zijn geweest, keek naar twee mussen die omtrekkende bewegingen op weg naar de kruimels op zijn bord ondernamen en merkte dat zijn sigaar was gedoofd.

'B,' vervolgde Silvère, 'Charlotte Dirckx woont niet in dat 's-Heerendal, althans niet onder die naam. De enige Dirckx daar geregistreerd was een bejaarde weduwnaar die vorige maand overleed.'

'Vals paspoort?' vroeg de Schaduw en hij dacht niet onwillekeurig aan Isodoor.

'Zou kunnen,' zei Silvère. 'We zoeken het uit. C, de portier van Le Cheval Blanc weet vrijwel zeker dat zij degene was die hem het kaartje gaf met de boodschap voor De Cantaloupe. Misschien heeft ze hem inmiddels willen bellen op zijn verdwenen mobieltje, misschien heeft ze inmiddels de kranten gelezen. En over valse paspoorten gesproken, je vriend Isodorus Smalbil werd twee weken geleden wegens goed gedrag vrijgelaten uit Saint Quentin.'

Verbluft stak de Schaduw de gedoofde sigaar aan. Isodorus en goed gedrag, 't klonk alsof de curie zojuist Judas Iskariot tot paus had uitgeroepen.

'Overigens,' zei Silvère, 'herinnerde de eigenaar van Le Cheval Blanc zich dat Isodorus daar na binnenkomst even met een kolos van een kerel sprak, een vent met één oog die daarop meteen afrekende en vertrok. Hij sprak krom Frans met een Nederlands accent, wat heel goed kan want er komen daar in deze tijd veel Nederlandse toeristen. 't Hoeft niks te zijn, maar dat je 't maar weet.'

De Schaduw knikte, wist 't.

'Isodorus en Lumina Zagwijn,' vervolgde Silvère, 'kwamen rond halfeen aan op het landgoed Aetherus van haar vader Zibbedeus, in Ollimont in de Belgische Ardennen. Pompidou hier had net zijn butler aan de lijn. Zagwijn zelf is namelijk naar zijn villa in Antibes. Lumina Zagwijn is vijfendertig jaar, ongehuwd en vicepresident-directeur van Zagwijns Levenswater.'

'Pardon?' zei de Schaduw. 'En wat mag Zagwijns Levenswater wel wezen?'

'Bronwater,' zei Silvère, 'dat daar bij Aetherus ontspringt. En dat niet alleen je poriën reinigt, je galblaas ontzwelt en je vaten verwijdt, maar tevens door meditatie en zielenknijperij de energetische velden van je aura vernieuwt en dus je oerbron, als je snapt wat ik bedoel.'

'Geen donder,' zei de Schaduw, die levenswater vooral associeerde met eau-de-vie-tjes na een luisterrijk diner. 'Behalve dat 't naar zwendel riekt. Dat oergebron en zo.'

'Vast,' zei Silvère, 'en een lucratieve ook want een weekje vaat- en geestverruiming op dat landgoed schijnt een vermogen te kosten. Al is 't natuurlijk mooie reclame dat Zagwijn tweeënnegentig is en nog immer dat Aetherus leidt. De kliniek heet overigens voluit Instituut voor Harmonieuze en Spirituele Ontwikkeling.'

De Schaduw zweeg en dacht aan de spirituele ontwikkeling van zijn oudoom Archibald wiens bloed, naar verluidde, een hoger percentage alcohol had bevat dan illegaal gestookte pruimenjenever, en die tot aan zijn dood dagelijks vier pakjes inktzwarte sigaretten had gerookt maar desondanks, of juist daarom, honderddrie was geworden. En dan nog was de dood veroorzaakt door een omgevallen ladder waarop oom Archibald de ramen had staan lappen. Reden waarom de Schaduw eveneens rookte en dronk maar dat ramenlappen graag aan anderen overliet.

'En Isodorus?' vroeg hij, want zijn fantasie en voorstellingsvermogen waren spreekwoordelijk groot, maar een meditérende Isodorus op zoek naar een Isodorische oerbron?

'Zoals hij al telefonisch zei, werd hij door de oude Zagwijn benaderd om dat schilderij te verkopen vanwege zijn vroegere connecties met De Cantaloupe. Hoe dan ook, als ze volgens de butler vannacht om halfeen in de Ardennen arriveerden... Enfin, je snapt 't, als vriend Schwoppeke even na middernacht driehonderd kilometer zuidelijker werd vermoord.'

Ja, knikte de Schaduw en staarde naar de mussen die een aanval op het restant van de croissant deden, en dacht aan butlers die spreekwoordelijk hondstrouw waren aan hun meesters en meesteressen. En was 't alibi echt waterdicht? Of was 't er zo eentje met lieslaarzen en een zuidwester?

'Kan iemand het verhaal van die butler bevestigen?'

En tot zijn teleurstelling wás dat zo want volgens Silvère had Lumina juist zo'n haast gehad omdat ze bezoek verwachtte.

'O?' zei de Schaduw. 'Zo laat nog?'

'Ja,' zei Silvère. 'En 't zal je verbazen ook van wíe. En zeker indachtig wijlen Bonnermann en die Von Schmalensee. Want toen Pompidou vroeg of dat hij dat bezoek kon spreken, kreeg hij Mariska Kowalski aan de telefoon.'

En de Schaduw wás verbaasd, en zweeg als door de bliksem getroffen. En zag de ranke, romantische schoonheid van weleer voor zich, de ogen van een donker brons met gitten irissen, het lange, golvende, ravenzwarte haar, in het midden gescheiden, de oorhangers met robijnen, de lange, smalle vingers die hem ooit hadden betoverd. Hij had haar in geen jaren meer gezien. Mariska, ooit het gedroomde model van elke schilder die ertoe deed, naar zeggen de maîtresse van Dalí en van Buffet. Maar ook de dochter van een Pool die door Freiherr Von Schmalensee in de oorlog om het leven was gebracht, reden waarom ze indertijd samen met hem, de Schaduw, tevergeefs jacht op de Freiherr had gemaakt.

En wat deed Mariska daar in dat exclusieve oord voor auravlechters en zielsverhuizers? Toeval?

'En vóór je nou zegt dat 't toeval is,' zei Silvère, 'dat is 't niet want ze is daar uitgenodigd om lezingen te houden over het mysterie bij Rembrandt, als ik 't goed heb begrepen. Clair-obscur en zo.'

Ach, knikte de Schaduw, die zich herinnerde dat Mariska zich na 't modellenwerk had gespecialiseerd in dat clair-obscur. Wat hem overigens meer aan mysteries in bepaalde Parijse gelegenheden deed denken dan aan die Hollandse meesterschilder.

'En ten slotte,' zei Silvère, 'heb ik de naam en plaats van dat tehuis voor je waar die Padde Le Veilleur alias Paddeke Oeienkroejér zijn laatste jaren sleet.'

'Mooi,' huiverde de Schaduw vanwege 't loodzware accent.

'Een *maison de retraite* genaamd Deo Volente even buiten Ste. Angélique-sur-Scarpe, zo'n veertig kilometer ten zuiden van Lille, richting Arras.'

'Zo!' zei de Schaduw verrast.

Sainte Angélique-sur-Scarpe. Geen wonder dat wijlen Schwoppeke 't niet had kunnen onthouden.

'Ken je het soms?' vroeg Silvère.

'En of!' zei de Schaduw. 'Althans een paradijselijk oord daar alwaar een zekere Hippolyte Habbakuck de scepter zwaait, plus pollepel en braadpan en bovendien jachtgeweer en vishengel. En verder passeerde ik 't gisteren en had de lieve Noor niet zo'n haast gehad dan...'

'Ja, ja,' zei Silvère ongeduldig, "k heb 't óók, weet je, Schaduw, háást, en wel vanwege de hotemetoten van de prefectuur daar op Cantaloupes landhuis. Pompidou hier brengt een wagen naar je toe, al is 't dan geen Bentley. En mocht je de lieve Noor nog spreken, doe haar mijn groeten en die van Manon die 'k zo-even sprak en die je laat kussen. En bel me zodra je wat weet.'

Waarop de klik klonk en ook de Schaduw ophing maar toch bleef zitten, mijmerend en peinzend, de sigaar tussen de lippen, de ogen naar 't satijnblauwe zwerk waarin de beierende klanken verstomd waren en niets viel te bespeuren. Maar wél in het hoofd van monsieur Carlier. Te weten Hyppolyte die kostelijk gevogelte plukte dan wel een even kostelijke haas vilde, terwijl kostelijke pauwentonge-tjes met zwezerik geurend sudderde en de romige, huisgemaakte crèmesoep werd opgediend op 't terras onder de druivenranken waar Hyppolyte zijn eigen al even kostelijke huiswijn van brouwde. Waarop hij toch weer aan stooflappen en braadworsten moest den-ken en dus aan Isodorus en de Walkure. En hij het dan toch weer wél toevallig vond dat juist Mariska daar op dat Aetherus was ge-nood.

'Etter es,' zei de Schaduw gramstorig, vanwege dat nu waterdichte alibi van Isodorus. Hij doofde de sigaar en kwam overeind omdat de huisbel weergalmde en hoofdinspecteur Pompidou zich aan de intercom meldde 'met de wagen voor monsieur Carlier'.

7

De wagen was inderdaad geen Bentley maar een oude Fiat 850 cou-
pé die door de vrouw van Pompidou voor de wekelijkse boodschap-
perij bij de Intermarché werd gebruikt.

'Dan,' zei monsieur tegen zichzelf en hij duwde 't koffertje met
moeite achterin, 'zal 't dus wel een karige bedoening zijn in huize
Pompidou, want waar láát je het?' Maar eenmaal achter het stuur
viel 't alleszins mee. En bovendien scheen de zon, kon 't linnen kap-
je dus open, snorde de motor als de bekende tierelier en bleek de
Fiat even wendbaar als een socialist in een kabinet met christen-
democraten of omgekeerd. Wat hard nodig was, die wendbaarheid,
want juist daar in die sjieke wijk zat 't vast met volgeladen gezins-
auto's, aanhangwagentjes en caravans, waaronder vooral veel Nederlandse, die vanuit de camping in het Bois de Boulogne nu al de
weg naar huis kwijt waren en op de meest onverwachte momenten
stopten, draaiden en verkeerd voorsorteerden, zodat de Schaduw
't idee had een botsautootje te besturen en al zijn stuurmanskunst
nodig had om 't niet zover te laten komen. Hij sloeg een netwerk
van nauwe straatjes in dat langs pleintjes, door stegen en via slop-
pen naar de Périférique voerde en dat hij nog zo goed kende van de
jaren dat hij er als aankomend rechercheurtje achter het Parijse gespuis aanjoeg. Om dan alsnog achter Clichy de Périférique Exte-
rieur op te stuiven terwijl hij steeds in zijn spiegel blikte, ge-
woontegetrouw en niet alleen alert op 't verkeer, want de drukte was
niet de enige reden waarom hij die zo originele route had genomen.

Er zijn, smaalde de Inwendige, tegenwoordig pillen in de handel
tegen paranoia. Want waarom zóúden we worden gevolgd, en door
wie dan wel? En als 't de macht der gewoonte is, is 't een onhebbelijke
want 't houdt zo op, weet je. En als je dan zo nodig bij die Hippolyte
aan tafel wil, zou 'k maar opschieten want 't loopt al naar drie uur.

Waarop de Schaduw instemmend knikte en de borden A-1 en Lille volgde. Want 't wás natuurlijk de macht der gewoonte. En al was 't geen slechte gewoonte, die hem bovendien herhaaldelijk het vege lijf had doen redden, 't leek inderdaad overbodig. Want wie immers kon weten dat een zekere monsieur Charles C.M. Carlier hier onder een strooien hoed en de koperen ploert naar een tehuis in Ste. Angélique snorde? Een tehuis geheten Deo Volente waarvan 't wel duidelijk was wát de Lieve Heer dan wel wilde, want 't was ongetwijfeld de laatste halte voor de Enkele Reis per zwartglanzende limousine, een sterfhuis waar geen draai meer mogelijk was. 'Behalve de draai van het bingoballetje,' rilde de Schaduw terwijl hij de A-1 op snorde.

Waar 't aanmerkelijk minder druk was dan aan de andere kant, waar hij gisteren met Eleonora Parijswaarts had gereden. Want dat Ste. Angélique-sur-Scarpe lag niet eens zo ver van Ste. Chatelaine waar Noor en hij, ook nog pas gisteren, wat met de jonge kapelaan in de schaduw van de kathedraal hadden gedronken. En dat bizarre verhaal over diens voorganger père Saurel hadden gehoord.

Tijdens het luisterrijk diner gisteravond had hij het er met d'Aubry over gehad, die zich vaag had herinnerd er indertijd iets over te hebben gehoord, maar niet had geweten van de kapotgeslagen dekplaat van Saurels tombe. Die overigens eerder een praalgraf leek voor een bisschop of kardinaal. Wat maar weer eens aantoonde dat dat Bijbelse IJdelheid der IJdelheden zelfs niet aan de dovemansoren van een dorpspastoor was besteed. Inmiddels lag er allang een nieuwe, rijkelijk gedecoreerde dekplaat waarop de parochianen hun beweende zielenherder in gouden letters jubelend dankten voor diens levenswerk, waarin hij dus zelf lag opgebaard. Maar waarom was de plaat dan kapotgeslagen?

Dronken boerenjongens, had de kapelaan gezegd, vandalen of mogelijk de daad van een godloochenaar. Of, had de Schaduw opgemerkt, mogelijk iemand die ín 't graf had gewild. Was 't lichaam van de dode Saurel alsnog onderzocht? De kist? 't Kwam immers meer voor, grafschenners die het voorzien hadden op meebegraven ringen, juwelen, horloge, een kruisbeeld. Zelfs gouden tanden, een zilveren knieschijf... en pastoor Saurel was immers een gefortuneerd man geweest?

'Hu!' had Eleonora huiverend gezegd. 'Darling, *please!*'

Maar ook dat had de kapelaan niet geweten, en evenmin wie de rest van Saurels fortuin had geërfd. Mogelijk zijn huishoudster, die niet veel later was verdwenen. Het was per slot lang vóór zijn tijd gebeurd. En zei de Schrift niet de doden met rust te laten?

De Schrift wél, zei de Schaduw. Hij nam de afslag naar Douai, stopte bij de *péage* achter een lang *convoi exceptionnél*, bestudeerde de kaart en besloot via een wit weggetje noordwaarts naar het Bois de l'Offarde te rijden, vanwaar het nog maar enkele kilometers via het riviertje de Scarpe naar Ste. Angélique was.

Het weggetje was een verademing na de autoroute, een lieflijk landschap dat hij allerminst verwachtte in de omgeving van dat nijvere, maar o zo lelijke Lille. Een landelijk weggetje door bos, langs een ruisend beekje, nu en dan een hoeve, maisvelden, een kapelletje, koeien en paarden en vast en zeker ook kwinkelerend gevogelte in het lover, wat de Schaduw echter niet hoorde vanwege 't eigen luidkeelse gezang over 't groene dal en 't stille dal, bloempjes, watervallen, wat niet al, en tevens vanwege de snorrende Fiat. En er verder ook geen acht op sloeg, maar wel op de motor met zijspan die af en toe in een bocht achter hem opdoemde, maar die kennelijk niet van plan was om hem in te halen. Een donkergroene motor met een in helpaars gehulde berijder, de zon vonkend op 't felgele plexiglas van een knalrode helm als een gekuifde paradijsvogel. Een motor die hem al eerder, zo-even bij de afslag van de péage, was opgevallen. En dus? Toch een schaduw? dacht de Schaduw. Maar hij verwierp die gedachte vrijwel meteen want, opnieuw, waaróm en wíé dan wel? En bovendien, een kakelbont uitgedoste schaduw die opviel als een naturist in een nonnenklooster? Eerder was de paradijsvogel een zondagsmens, meende hij, met mogelijk een vrouwelijke paradijsvogel in 't zijspan, klaar voor een paradijselijke picknick in 't lommerrijke lover. En zát er eigenlijk iemand in dat zijspan? Maar dat kon hij niet zien vanwege de zon die op het gele windscherm blikkerde. Zoals hij om dezelfde reden ook het kenteken niet kon onderscheiden.

En trouwens, wat gaat 't je ook aan, zei de Inwendige narrig.

Geen fluit ende geen trommel, zei de Schaduw, sloeg links af bij het bord dat naar Ste. Angélique voerde, zag de paradijsvogel rechtdoor rijden en zette uit volle borst het lied *Schaduw waarheen is uw vlucht?* in.

Een kwartier later reed hij over de brug van de Scarpe waaraan wat verderop Hippolytes 'Parel van Ste. Angélique' lag, niet alleen bekroond met drie Michelinsterren en twee rode Gault-Millau-mutsen, maar tevens in kleine kring befaamd vanwege 't ganzen-dons uit de Camargue waaronder 't zo voortreffelijk sliep. Direct nadat Pompidou de auto had gebracht, had hij Hippolyte gebeld. Of 't nog kón, een van die vier riante slaapvertrekken met uitzicht op de rivier.

'Al zou ik er de Heilige Vader zelf voor moeten afzeggen, Schaduw, je weet het.'

De Schaduw glimlachte onder de strooien hoed en smookte tevreden de sigaar. Hij wist het. Ooit had hij voor Hippolyte onderhandeld met twee afgezanten namens een vreemde mogendheid die Hippolyte een voorstel hadden gedaan. 't Waren geen leden van het Corps Consulair maar wel van het Camorriaans Canaille, de vreemde mogendheid het Maffiakoninkrijk Napels; en het was ook geen diplomatiek voorstel, 't was een ondiplomatieke eis, te weten een maandelijkse, vorstelijke donatie aan 't Canaille in ruil voor de opeens o zo nodige protectie. Namens Hippolyte had de Schaduw in krijtstreeppak onderhandeld, maar ook met twee geladen pistolen benevens een eigen delegatie bestaande uit tien zwaar bewapende rechercheurs. En zelden waren onderhandelingen zo snel beklonken, te weten met ijzeren polsbandjes.

Toen hij naar Deo Volente informeerde, had Hippolyte veelbetekenend gegrinnikt. 'Nu al, Schaduw?' Maar 't stond goed bekend en hij kreeg er wel bewoners van te eten. 'Want 't is chic, snap je, oud geld en zo.' De naam Padde Le Veilleur zei hem echter niets.

'En tot straks, Schaduw, als we 't glas weer eens heffen!'

Waarop de Schaduw fronsend had opgehangen. Want hij herinnerde zich dat Schwoppeke 't had gehad over Paddekes weinig toereikende financiën. 't Kon natuurlijk, je hád van die oudjes die op 't spreekwoordelijke houtje beten met miljoenen in een ijzeren kist onder de twijfelaar. Oud en geld, 't klonk zo treurig, vond de Schaduw, zo zinloos ook want wat hád je er dan aan, behalve voor een horde likkebaardende aaseters van neven en nichten? Maar zelfs die

had Paddeke niet gehad. Al mijmerend passeerde hij het gemeente-
bord van Ste. Angélique en tufte hij de hoofdstraat in op zoek naar
de vvv. Waar een vriendelijk meisje hem wees hoe naar Deo Volente te rijden, dat een verbouwde abdij bleek te zijn op een paar
kilometer buiten het stadje.

'*Urbi et orbi*,' zei de Schaduw, tufte 't stadje weer uit en nam een
weggetje dat meeliep langs het riviertje waarboven zwaluwen als
jachtvliegtuigen achter libellen aanjoegen. De zon brandde ongenadig en de Schaduw verlangde hevig naar 't beschaduwde terras van
Hippolyte en nog heviger naar een daar ijskoud geserveerd glas
bier. Deo Volente. Was 't soms een kérkelijk tehuis? Zuster Imma-
culata en ruisende habijten en zo? Maar dat leek hem niet. Paddeke
was immers door die priester Loutertopf verraden. En had hij hem
gevonden? Die laatste notitie dateerde van 1963, hetzelfde jaar, zoals Schwoppeke had gezegd, waarin Paddeke bij Poupette was weggelopen. Had 't een met 't ander te maken? Poupette la Tulipe, een
vrouw die in haar tijd alle zeven hoofdzonden waard was geweest
en zelfs de Heilige Antonius het bed in zou hebben gekregen. Wat
had ze gezien in ene Paddeke Uijenkruijer uit Holland? Een barkeeper. Geld zou hij toen, na die oorlog, in elk geval niet hebben gehad
en als hij op zijn neef Schwoppeke had geleken, was hij ook niet
bepaald Poupettes type geweest, dat meer het gevulde borstkas-
werk, maar vooral ook het gevulde portefeuille-type was. Net als
't onwaarschijnlijk leek dat Paddeke had geweten dat Poupette fout
was geweest tijdens de oorlog. Wat de Schaduw uit piëteit niet aan
Schwoppeke had verteld. Poupette had, net als zoveel Parijse nachtvlinders, het bed met collaborateurs en hoge SS'ers gedeeld, onder
wie de Freiherr Von Schmalensee. Reden waarom ze na de oorlog
een tijdje had vastgezeten en daarna in Le Canard Jaune was gaan
strippen, een tent waar vooral de gásten werden uitgekleed. Volgens
Schwoppeke was ze later met een Duits edelman getrouwd en al
lang weduwe. Waarop de Schaduw het lied van de Wellustige Weduwe inzette tot het weggetje zich splitste.

Links van hem doemde een hoge, met klimop begroeide muur op
waarboven donker geboomte torende. Op een bord stond dat de ingang van Deo Volente een paar honderd meter verder naar links lag.
Alsmede het kerkhof. En dat 't verboden was te claxonneren. Maar

waarom zóú je? dacht de Schaduw. Enkele minuten later passeerde hij tombes, zerken en beelden tussen treurwilgen en cypressen. Lag wijlen Paddeke daar begraven? Wat verderop stond een zwarte auto half in de struiken geparkeerd, een Mercedes zag hij in 't voorbijgaan. Hij fronste, want waarom dáár? En zag toen een deuk in de kap en een versplinterde koplamp. Dus gebotst? En hulp gaan halen in Deo Volente of Sainte Angélique?

Het weggetje boog plotseling af naar openstaande hekken waarachter een dichtbegroeide laan slingerend tussen 't groen verdween. Links van de hekken lag een parkeerplaats waar slechts één auto stond, een Panhard Dyna waarvan de Schaduw het bestaan niet eens meer vermoedde, en hij bedacht weer dat het merkwaardig was dat de eigenaar van de Mercedes niet daar had geparkeerd.

Hij stapte uit, sloot de kap en liep tussen de hekken door waar 't doodstil was en geurde naar verse aarde en bedwelmend groen. En tevens naar 't slijk der aarde, want alles, gazon, terrassen, vijverpartij en het pompeuze gebouw recht voor hem, verried dat de bewoners ervan eerder des Mammons dan Gods wil volgden, zodat hij zich opnieuw afvroeg waarmee en hoe Paddeke dat slijk dan wel bij elkaar had geschept.

De stilte werd plotseling verstoord door een schrapend geluid dat ergens achter het gebladerte vandaan kwam. Een seconde meende de Schaduw dat 't veroorzaakt werd door elektrisch tuingereedschap, toen 't opnieuw klonk en hij 't als het gerochel van een zwaar verkouden persoon dan wel van een zware roker herkende. Dat overging in geplons en meteen erop in een gesmoorde godslastering. Nieuwsgierig boog hij de takken opzij en knipperde met zijn ogen in het idee in een safaripark te zijn beland. Niet ver van hem vandaan stond bij de oever van een grote, met waterleliën begroeide vijver een gebogen gestalte in het water die hem sterk deed denken aan de subhumane fauna der aapachtigen. En dan van de orde der zwaar behaarden, hoofd en lijf, het zwarte haar in slierten over de gekromde, naakte schouders en de lange armen onder water roerend, wat de leliebladeren hevig deed deinen.

De aapachtige grauwde iets waaruit de Schaduw een zekere humeurigheid opmaakte en bewoog zich toen plenzend en speurend de zanderige oever op, pakte een bundeltje kleren van een bankje en verdween achter de overhangende takken van een treurwilg. En wie wás de aapachtige? En waarom plensde hij daar in zijn interlockje rond? Was 't mogelijk een pootjebadende bewoner van het tehuis? Al dan niet dement? Maar hoewel hij geen gezicht had kunnen waarnemen, oud leek de aapachtige hem niet. Was 't misschien een personeelslid dat iets had verloren?

De Schaduw luisterde nog even, maar 't was en bleef stil, zodat hij zich omdraaide en de oprijlaan verder afliep naar het bordes. Hij beklom het zonovergoten bordes en wilde al aanbellen toen de deur werd geopend. En hij zich opnieuw in 't dierenrijk waande, maar nu in dat van de gevederden, die onder ornithologen bekendstaan als Accipitriformes ofwel de roofvogelachtigen. Even namen twee felle oogjes de Schaduw op, die het te moede was alsof hij door een oude gier als mogelijke prooi werd gekeurd. Een oude gier in streepjesbroek en jacquet en aan één klauw een aktetas. Maar evengoed had hij 't gevoel of hem de maat werd genomen, en wel de maat voor zes planken met koperen handvatten, want de Schaduw róók als het ware Magere Hein.

Was de gier de plaatselijke doodgraver die zojuist lengte, breedte, gewicht en wat dies meer zij van een ontslapene had opgemeten? Niet ongewoon immers hier.

De Schaduw glimlachte desondanks, maar werd kennelijk te min bevonden want de oogjes boven de snavelneus wendden zich af en vervolgens hipte de gier met zijn kale roze schedel op een nekje dat in een te wijd boord verdween, de slippen van het jacquet fladderend als een gevorkte staart, het bordesje af.

'Oók nog een prettige dag,' zei de Schaduw geïntrigeerd.

'Dank u,' zei een vrolijke stem achter hem. 'Kan ik u misschien helpen?'

In de deuropening stond een jonge vrouw die hem vriendelijk monsterde. Heur haar was blond en opgestoken, haar ogen waren korenblauw evenals haar mantelpakje waarvan het jasje krap over haar hoog geheven boezem sloot die de Schaduw, ondanks zijn spreekwoordelijke monogame levenswandel, een moment op overspelige gedachten bracht. Maar nam de strooien hoed af en viste zijn visitekaartje uit de borstzak van zijn colbert. 'Goedemiddag. Commissaris Carlier van de Sûreté. Ik belde vanochtend met de directrice in verband met wijlen monsieur...' Even aarzelde hij, had Paddeke Uijenkruijer willen zeggen, maar herinnerde zich nog net op tijd dat Paddeke zich hier Le Veilleur had genoemd. '... monsieur Le Veilleur.'

De jonge vrouw knikte nieuwsgierig.

'Aangenaam. Yvette Brion, directrice van Deo Volente.'

'Ach,' zei de Schaduw, verrast omdat hij directrices van wát dan ook associeerde met gezette en onverbiddelijke vrouwen op leeftijd. 'Een genoegen kennis te maken, madame.'

'*Mademoiselle*,' glimlachte ze.

'*Excusez*,' glimlachte de Schaduw terug. Hij wilde zijn hand al uitsteken toen hij de Panhard ratelend hoorde starten en de kleine wagen zag wegrijden.

'De begrafenisondernemer?' vroeg hij.

'O nee,' zei ze. 'Monsieur Alphonse Bavarde, de notaris.'

'Aha,' zei de Schaduw die 't verschil tussen beiden altijd al miniem had gevonden.

'Ja,' zei ze, 'hij was hier namelijk in verband met het testament van monsieur Padde. En mag ik u vragen, monsieur *le commissaire*, wat er is dat u...'

'Pardon?' fronste de Schaduw. 'Is er dan een testament?'

Ze knikte. 'In 't kantoor van monsieur Alphonse. We wisten er niets van, want 't staat namelijk op zijn vroegere naam, eh...'

'Uijenkruijer,' zei de Schaduw. 'Paddeke Uijenkruijer.'

'Ja!' zei ze verrast.

'En u kende die naam niet?'

'Nee. Ik hoorde 'm van zijn neef die hier onlangs was. Komt u verder alstublieft.'

De Schaduw stapte een grote hal binnen en wachtte tot ze de deur sloot.

'Monsieur Alphonse wist het natuurlijk wel,' zei ze, 'maar hij kwam pas vanochtend terug van vakantie. Dus vandaar. Het is natuurlijk ook niet zo gek met zo'n moeilijke naam.' De korenblauwe ogen knepen zich opeens ongerust samen. 'Gaat het daar soms over dat u hier bent? Want u begrijpt natuurlijk dat we hier met onze clientèle...' Ze lachte wat zenuwachtig. 'Nou ja...'

En de Schaduw begreep het, had het al zoveel vaker gehoord. De clientèle, de buurt, de familie. Liever doodgraver, dokter of deurwaarder op de stoep dan de dienders.

'Maakt u zich geen zorgen, ik kom slechts voor wat inlichtingen.'

Ze knikte opgelucht en ging hem voor, een gewelfde kloostergang in.

'Merkwaardig,' zei de Schaduw. 'Ik bedoel dat testament. Is 't al geopend?'

'Nog niet,' zei ze. 'Morgenochtend. Mademoiselle is naar zijn neef in Parijs toe, ziet u.'

'Mademoiselle?'

'Mademoiselle Gratia,' zei ze, 'zijn stiefdochter.'

'Zijn wát?' zei de Schaduw.

'De stiefdochter van monsieur Padde. Het was zo vreselijk, ziet u, want hij stierf op de dag dat ze hem bezocht.'

In 't verbijsterd hoofd van de Schaduw buitelden de gedachten haasje-over. Had Schwoppeke dan niet geweten dat zijn oom een stiefdochter had? Wie was dan de moeder? Poupette? Paddekes overleden vrouw?

'Ze heeft nog tevergeefs geprobeerd hem te reanimeren,' zei Yvette.

'Zo,' zei de Schaduw, 'en had monsieur Padde het ooit over haar gehad?'

'Nee. Maar hij was nou eenmaal erg op zichzelf, ziet u. We wisten immers ook niet dat hij nog een neef had.'

'Nee,' zei de Schaduw. 'En wist die mademoiselle Gratia dat wel?'

'O ja,' zei ze, 'en ook dat hij monsieur Padde wilde bezoeken. Daarom bood ze aan hem te informeren over 't testament. Hij had gezegd voor zaken in hotel Bellevue te logeren en had zijn nummer achtergelaten voor 't geval dat. Maar daar wordt niet opgenomen, ziet u.'

'Ach,' zei de Schaduw.

'En mademoiselle was toch al naar Parijs, omdat ze vandaar met vrienden op vakantie naar het zuiden gaat.'

'Aha. En?'

'Heel gek,' zei ze, 'want het hotel blijkt plotsklaps wegens omstandigheden te zijn gesloten. Monsieur Bavarde had mademoiselle namelijk net aan de lijn. Ze heeft de boodschap dus maar op zijn mobieltje ingesproken.'

'Ach,' fronste de Schaduw. En dacht aan Schwoppekes mobieltje. En waar 't nu was. En wie dan die boodschap over Paddekes testament had beluisterd. Maar was 't niet vreemd dat Paddekes stiefdochter met vakantie ging wanneer ze toch wist dat hij een testament had achtergelaten?

'En is mademoiselle Gratia dan geen erfgename?'

'Nee,' zei ze. Ze bleef staan bij een deur waaraan een bordje BUREAU hing. 'Volgens monsieur Bavarde gaat het om twee personen, maar is zij daar niet bij. Dat was juist het treurige, ziet u. Haar moeder en monsieur Padde waren al lang gebrouilleerd en ze had het nu willen goedmaken.' Ze opende de deur. 'Gaat u maar naar binnen.'

Ze liet hem voorgaan in een klein, chic gemeubileerd vertrek dat kennelijk als kantoor dienstdeed. Er stond een modern bureau waarop een computerscherm fonkelde in het zonlicht dat door tuindeuren naar binnenviel. Aan de witgepleisterde muren hingen gravures waarop hij het gebouw herkende aan de tierelantijnen, maar in plaats van het gazon en de vijverpartij lagen er moestuinen en boomgaarden waarin nonnen aan het werk waren. Op een marmeren schouw sloeg een pendule vier tinkelende slagen.

Achter de tuindeuren zag hij enkele bejaarden onder parasols op een terras zitten. En wilde dat hij dáár zat, niet vanwege dat bejaarde maar wel omdat een serveerstertje een fles wijn uit een zilveren koeler haalde en hij in gedachten de wijn in de glazen kon horen klokken. En alsof Yvette hoorde dát hij 't kon horen, vroeg ze: 'Kan ik u misschien iets te drinken aanbieden? 't Is weliswaar nog geen vijf uur...'

'*Pas de problème*,' glimlachte de Schaduw. 'Ergens op deze wereld zal dat dan ongetwijfeld wél het geval zijn, nietwaar?'

Hij keek haar na terwijl ze naar het terras liep en vroeg zich af wie Paddekes andere erfgenaam kon zijn. En waarom Schwoppeke in het testament werd genoemd, op wie Paddeke immers ook niet erg gesteld was geweest. En dus was hij des te benieuwder naar dat testament waarvan hij zich tevens afvroeg of Paddekes memoires daarin werden genoemd.

Maar vreemd blééf 't, die stiefdochter die...

En dan herinnerde hij zich opeens dat Snurkmans het had gehad over een blonde vrouw die gisterochtend naar Schwoppeke had geinformeerd en van wie hij abusievelijk had aangenomen dat ze Lot-je was.

Die Gratia?

Maar waarom dan, want Yvette had toch zojuist gezegd dat de notaris nog maar net Paddekes testament bekend had gemaakt?

Hij snakte naar een sigaar en vroeg Yvette toen ze met twee glazen witte wijn binnenkwam of 't gepermitteerd was.

'Maar natuurlijk,' zei ze en ze zette de glazen neer, pakte een asbak van het bureau en nam tegenover hem plaats. 'Santé.'

De Schaduw hief het glas en dronk en vond 't, al was 't dan geen Fontcreuse, voortreffelijk smaken.

'Die arme neef,' zei ze, ''t leek me zo'n aardig manneke.'

De Schaduw knikte. En wanneer was monsieur hier komen wo-nen?

'Al zeker tien jaar geleden,' zei ze. 'Na de dood van zijn vrouw bleef hij nog een tijd in zijn villa wonen, maar die brandde af, ziet u.'

'Brandde af?'

'Ja, ook al zo treurig, want hij had bijna niets meer toen hij hier kwam.'

'Nee,' zei de Schaduw en vroeg zich af of Paddeke dan mogelijk geld van de verzekering had gekregen en of dát dan soms in 't testa-ment werd nagelaten.

'Als ik 't goed begrijp,' zei hij, 'overleed monsieur Padde vorige week.'

Ja, knikte ze. 'In de tuinen. Hij wandelde daar altijd graag. Waar-schijnlijk kreeg hij een hartaanval en is hij in de grote vijver gevallen.'

'Pardon?' zei de Schaduw, een hand halverwege de borstzak met daarin de sigaar. 'De grote vijver?'

'Ja. Hij zat daar dikwijls op een bankje, ziet u, vanwege de water-leliën. Ze deden hem denken aan zijn jeugd, moet u weten.'

De Schaduw viste de sigaar tevoorschijn, stak hem aan en dacht aan de aapachtige die niet ver van dat bankje in de vijver had rond geplensd.

'En mademoiselle Gratia had nog geprobeerd hem te reanimeren, zei u?'

'O ja. Maar helaas. Hij was ook al oud, ziet u.'

Ja, knikte de Schaduw. 'En weet u mogelijk hoe ze nog meer heet?'

Ze fronste. Want 't was ook al een moeilijke naam, iets Duits, dacht ze.

'Duits?' keek de Schaduw op.

'Ja. Ze had ook een beetje dat accent.'

'Aha.' Dus toch Poupette? En hoe vreemd dan dat Schwoppeke dat niet had gezegd.

En waren er nog anderen geweest bij de begrafenis van monsieur Padde?

'Nee,' zei ze. 'Alleen mademoiselle en ik. Zo treurig. En overigens was 't geen begrafenis, maar een crematie, want hij had gewild dat zijn as boven de rivier werd verstoven omdat dat ook met zijn vrouw was gebeurd, ziet u.'

'Ach,' zei de Schaduw en tipte van de weeromstuit zijn sigaar af.

'Gratia. 'k Heb ooit eens een Gratia gekend, een donkere schoonheid.'

Ze lachte hoofdschuddend. 'O nee, zo mooi is ze niet. En bovendien is ze blond.'

'Aha. En hoe oud is ze dan, als 't monsieur Paddes stiefdochter is?'

Ze dacht een jaar of veertig. En dus kon 't niet, want Paddeke was immers volgens Schwoppeke al bijna vijftig jaar bij Poupette weg.

Maar hoe had die Gratia dan geweten dat Paddeke hier woonde?

En dan drong het tot hem door dat Schwoppeke had verteld nog regelmatig contact met Poupette te hebben gehad. Drinkend staarde hij naar de oudjes op het terras. En vroeg toen of monsieur het ooit over een zekere August en een zekere Geertje had gehad.

'Nee,' zei ze verbaasd, 'maar nogmaals, hij sprak nooit veel, met niemand.'

'En wanneer vond u de memoires, als ik vragen mag?'

De korenblauwe ogen verwijdden zich verbaasd. 'Dus dat weet u!'

'Ja,' glimlachte de Schaduw, 'zijn neef vertelde me erover. Ik sprak hem gisteren namelijk.'

'Is dat dan de reden dat u hier bent?'

En de Schaduw stond al op 't punt haar in te lichten over de moord op Schwoppeke, tot hij in dezelfde seconde besloot dat 't beter was erover te zwijgen. 'Ik begreep dat u ze onder het tapijt in zijn kamer vond?'

Ja, zei ze, die ochtend dat de neef hier was, toen ze de kamer had uitgeruimd, want monsieur le commissaire begreep natuurlijk dat er veel animo voor de kamer bestond.

Ja, dat begreep de commissaire. En had ze soms nog meer gevonden? Foto's bijvoorbeeld? Brieven? Agenda? Bankafschriften?

'Nee,' zei ze, 'alleen de bankafschriften die net door de notaris waren meegenomen, maar monsieur Padde bewaarde nooit iets. En... ach, jawel, een fotootje.'

'Een fotootje?'

'Ja.' Ze was al overeind en liep naar het bureau waar ze een lade opentrok. ''t Zat in zijn paspoort. Ik vond hem net. Kijkt u maar.'

Het was een kleurenfoto van een jong meisje, misschien vijf of zes jaar oud, een meisje met donkere ogen en een rode strik in het donkere haar. 't Zei de Schaduw niets, behalve dat hij er zeker van was dat het niet het meisje met het hondje op de foto met Paddeke en Loutertopf was. Een kind van Paddeke? Maar Schwoppeke was stellig geweest, oom Paddeke had kind noch kraai gehad. Die Gratia, al had ze nu dan blond haar?

'Ik vergat 't mee te geven aan notaris Bavarde, ziet u.'

De Schaduw nam een teugje. 'Vond u 't niet vreemd dat hij zijn memoires onder het tapijt bewaarde?'

'Ach,' lachte Yvette wat onzeker, 'monsieur le commissaire moest eens weten wat je hier zoal op de gekste plekken aantreft!'

'Vast,' zei de Schaduw. 'En hebt u mogelijk mademoiselle Gratia nog aan de telefoon gehad en haar over -die memoires gesproken?'

Yvette trok haar wenkbrauwen op. 'Waarom wilt u dat toch allemaal weten, monsieur le commissaire?'

Maar monsieur de commissaire haalde juist dan omstandig de zippo tevoorschijn en stak er even omstandig de inmiddels weer gedoofde sigaar mee aan, al was 't maar om na te denken, want ergens in dat schaduwiaanse brein broeide en groeide al sinds dat woord 'testament' voor 't eerst was gevallen, een plan. Een plan dat op zijn zachtst gezegd stoutmoedig was, zo niet roekeloos en riskant en...

'Heeft 't soms met de vrouw te maken die hier vanochtend was?'

'Pardon?' keek hij verbluft op. 'Een vrouw?'

'O ja,' knikte ze. 'Een jonge Nederlandse vrouw. Ze was hier al vroeg en ze was maar even geweest. Ze had namelijk willen weten waar monsieur Padde lag begraven.'

'Een jonge Nederlandse vrouw,' zei de Schaduw. 'En weet u moge-lijk hoe ze heette?'

En weer lachte Yvette hoofdschuddend want 't was opnieuw een onuitsprekelijke naam geweest.

'Mogelijk Dirckx?' vroeg de Schaduw. 'Charlotte Dirckx? Lotje Dirckx?'

Ja, knikte ze verrast, zo had ze zich inderdaad voorgesteld. Lotje Dirckx.

'En weet u waarom ze het graf van monsieur Padde had willen bezoeken?'

'Nee,' zei Yvette, 'behalve dat monsieur haar overgrootvader had gekend.'

'Haar overgrootvader?' fronste de Schaduw.

Ze knikte. 'Uit de oorlog. Daarom vroeg ze ook of er soms nog papieren of foto's van monsieur waren. Dus ik zei dat zijn neef zijn memoires had, maar dat wist ze al. Want ze had hem net gesproken en daarom wist ze ook dat monsieur hier woonde en was overleden, ziet u.'

De Schaduw knikte. 'Hebt u ze overigens gelezen? Die memoi-res?'

O nee, schudde Yvette haar hoofd, want zo was ze niet!

Natuurlijk niet, glimlachte de Schaduw. En hij bedacht dat Lotje dus de afgelopen nacht uit het Bellevue hiernaartoe moest zijn ge-reden. En kon ze weten dat Schwoppeke dood was? Nee, besloot hij, dan zou ze dat immers wel aan Yvette hebben verteld.

'En die Lotje was hier dus vanochtend maar even geweest?'

Ja, knikte Yvette. Ze had erg in de war en verdrietig geleken en gezegd dat het 'te laat' was.

'Te laat?'

'Ja,' Yvette glimlachte onzeker. 'Ik vond dat eerlijk gezegd nogal gek want ze had monsieur Padde nooit ontmoet. Maar toen ik vroeg wat ze daarmee bedoelde, vroeg ze of monsieur op de dag dat hij stierf nog bezoek had gekregen.'

'Vreemd,' fronste de Schaduw. 'En toen?'

'Niks,' zei Yvette. 'Nou ja, ik zei dat zijn stiefdochter hier was ge-weest, maar die kende ze niet. En toen is ze weggegaan.'

'In een klein rood autootje,' zei de Schaduw.

Ja! En wat was er dan met haar dat monsieur le commissaire dat allemaal wist?

'Geen idee,' zei de commissaris naar waarheid. Hij lette niet op haar verbazing, maar vroeg of Lotje misschien een adres of telefoonnummer had achtergelaten voor het geval dát.

'Nee,' zei Yvette.

Jammer, zei de Schaduw, maar de neef dus wel. Zou ze zo goed willen zijn hem dat te geven, zodat hij de neef zelf kon spreken?

Natuurlijk, knikte Yvette verwonderd. Ze kwam overeind en liep naar het bureau waar ze 't in een klapper opzocht en op een briefje noteerde. En wat was er dan met die aardige neef?

Dat, zei de Schaduw ontwijkend, is een vraag waarop ik 't antwoord juist graag wil weten. En de reden helaas niet kan en mag geven, dat begreep ze hopelijk? En dank voor 't nummer.

Hij dronk zijn glas leeg, zette de strooien hoed op en kwam overeind. En zei dat hij nog enkele vragen had. De eerste of ze wist waar die vrienden van mademoiselle Gratia in Parijs woonden.

'Nee,' zei Yvette, die eveneens weer opstond.

'En waarheen ze dan met vakantie was?'

'Ook niet,' zei Yvette bevreemd. 'Was 't belangrijk?'

'Welnee,' zei de Schaduw en hij deed zelf de deur open. 'Maar je kon nooit weten immers?' Hij liet in het midden wát dan wel. 'En hebt u overigens enig idee hoe of wijlen monsieur dan aan zijn geld kwam? En wie hij 't nalaat?'

'Nee,' zei ze, maar ze glimlachte opeens samenzweerderig. 'Maar ik denk eigenlijk dat 't misschien wel met die moeder van mademoiselle Gratia te maken heeft, ziet u.'

'O?' zei de Schaduw en hij bleef in de deuropening staan.

Ja, knikte ze, want monsieur ging eens per maand een weekeinde per taxi weg. Naar Lille, zei hij, om oude vrienden op te zoeken. 'Maar als u 't mij vraagt was het een vrouw, want hij was altijd heel vrolijk als hij terugkwam en hij rook naar viooltjes.'

Een vrouw, dacht de Schaduw. Toch die Geertje? Had Paddeke dan alsnog Geertje gevonden? En waar dan? Was Geertje dan zo bemiddeld? En die Loutertopf dan? In elk geval was 't raadzaam die taxi op te snorren!

'Een taxi van hier in Ste. Angélique?'

Ze knikte. 'Ja. Want die haalde hem op.'

'Juist,' zei de Schaduw terwijl hij de gang in liep.

Hij wachtte tot Yvette de voordeur had geopend.

'A propos,' zei de Schaduw, 'kent u hier mogelijk een kleine, harige man die wel wat weg heeft van een aap?'

'Een aap?' zei ze verbaasd en ze schudde haar hoofd. 'Nee. Waarom vraagt u dat?'

'Dan,' zei de Schaduw minzaam, 'was 't toch iemand anders.' En galant lichtte hij de hoed, dankte haar voor het aangename en hoogst informatieve gesprek en de voortreffelijke wijn en daalde het bordes af in de zekerheid dat haar verbijsterde korenblauwe ogen hem nog nakeken.

Hij wandelde de doodstille oprijlaan over, keek opzij en achterom maar zag niemand, ook Yvette niet, en wrong zich tussen de struiken door tot hij bij de spiegelende vijver stond. En staarde naar de zacht deinende waterleliën. Wie was de aapachtige die in de vijver had staan roeren waar Paddeke was gestorven? Wat had hij dan gezocht? En had ie 't? Of beeldde hij zich 't in en had al dat geroer en gezoek niets met Paddekes dood te maken? Waarom had Lotje gezegd dat het te laat was? Te laat waarvoor?

't Was duidelijk wáár de aapachtige te water was gegaan, want de afdrukken van zijn blote voeten tekenden zich scherp af in het zand, aapachtige afdrukken zodat de Schaduw zich een tweede Darwin waande, al had de laatste 't spoor uit het water landinwaarts gevolgd en deed híj 't omgekeerde.

De afdrukken liepen vanaf het bankje het water in. Volgens Yvette ging Paddeke daar 's middags zitten om naar de waterleliën te kijken. Dus, opnieuw, wat had de aapachtige dan juist hier gezocht?

Een wolk schoof voor de zon, een schaduw trok als een sluier over de oever en juist op dat moment schitterde een roze glans in de kelk van een lelieblad. Zodat de Schaduw een moment in de veronderstelling was dat 't veroorzaakt werd door een zonnestraal op een van de bloemen. Dan zakte hij door zijn knieën, pakte met één hand het bankje vast, leunde zo ver mogelijk voorover en haalde met de andere hand het blad naar zich toe, toen de *Danse Macabre* in zijn binnenzak losbarstte. Waarop de Schaduw automatisch 't mobieltje wilde pakken en dus het bankje losliet. En vloekend in de vijver donderde, het mobieltje aan een oor, een mond vol water.

'Blub,' spoog de Schaduw, en graaide spetterend naar de gouden schittering die langzaam wegzonk in het donkere, deinende water.

'Darling,' zei Eleonora. 'Zit je in bad?'

Maar de druipende Schaduw had de schittering te pakken en trok 'm omhoog.

'Darling?' vroeg Eleonora ongerust.

'Ja,' zei de Schaduw en hij kroop druipend en plassend op de kant.

'Waar ben je, ik heb je al drie keer op de Avenue de Neuilly gebeld en...'

Haar stem ging verloren onder het aanzwellend geronk van een auto en in een flits zag de Schaduw tussen 't gebladerte de zwarte Mercedes achter het hekwerk voorbij razen. Dan staarde hij weer naar de dunne gouden schakelketting in zijn hand waarin een drie-hoekige, helroze steen fonkelde.

'Hallo?' riep Eleonora. 'Darling? Ben je daar nog?'

8

'Jammer,' zei Hippolyte, 'dat je vrouw er niet is, Schaduw. En net nu je de bruidssuite hebt.'

'Ja,' beaamde de Schaduw met volle mond, en hij besloot maar niet te zeggen dat Eleonora en hij nog pas gisteren de 'Parel van Ste. Angélique' op een steenworp waren gepasseerd. Hippolytes gastvrijheid was immers even spreekwoordelijk als zijn gevoelige karakter, hoewel de Schaduw massa's mensen kende die bij die laatste constatering in een honende schaterlach zouden uitbarsten. Want Hippolyte oogde inderdaad niet bepaald als een fijnbesnaarde, snel gekwetste ziel. Eerder als degene die kwétst, en dan in de betekenis van kwetsuren uitdelen. Die Hippolyte dan ook veelvuldig hád uitgedeeld, aanvankelijk als rondreizend prijsbokser op kermissen en folkloristische partijen, vervolgens als rondreizend legionair in het Vreemdelingenlegioen en ten slotte als rondreizend bankrover annex brandkastenkraker, tot de rondreis abrupt was geëindigd in een betonnen kamertje van de beruchte Prison de la Santé met enerzijds betralied uitzicht op een blinde muur, anderzijds door een metalen luikje op 't gezicht van een cipier, waarover Hippolyte naderhand zei dat hij de blinde muur verreweg prefereerde. Maar net als ooit Saulus op weg naar Damascus het licht had gezien, zag ook Hippolyte dat, zij het dat 't niet de Lieve Heer was als wel zijn jeugdvriendinnetje Bellefleur, wier foto hij in een tijdschrift over rustieke hotelletjes en restaurantjes was tegengekomen als eigenaresse van 'De Parel van Ste. Angélique'. Waarop een dubbelgevorkte bliksem bij Hippolyte was ingeslagen en hij de volgende dag tot verbazing van de gevangenisbibliothecaris niet de erotische belevenissen van Josephine Mutzenbacher of de hardgekookte avonturen van Kid Blauwneus kwam lenen, maar beroemde poëziebundels. Waarna Bellefleur dagelijks sonnetten en kwatrijnen per post ontving waarin heur haar, ogen, neusje, mondje, enkels en wat dies meer zij hartstochtelijk door Hippolyte werden bezongen, tot hij zeven maanden later vrijkwam en ze buiten de poort op hem stond te wachten en hem meenam naar Ste. Angélique. Waar Hippolyte nóg een ook door de Schaduw onvermoed talent tentoonspreidde, want nog geen twee jaar later behaalde hij het prestigieuze koksdiploma van Le Cordon Bleu met als specialiteit *Filet de Boeuf*. En wel in 24 varianten, waaronder vanzelfsprekend *à la Bourguignonne*, *à l'Amiral*, *En croûte*, *à la Corsoise*, *à la Gardiane*, maar ook, en die had de Schaduw nu met grote gretigheid verorberd, *Le Filet de Boeuf à l'Empereur* ofwel gemarineerde ossenhaas met geschaafde witte truffels. Waarbij dat 'l'Empereur' een eerbetoon was aan het kolossale huisvarken waarmee Hippolyte in de eikenbossen naar die truffels zocht.

Tezelfdertijd had hij De Parel voor veel geld verbouwd en heringericht tot het paradijselijk hotelletje dat het nu was, geld waarvan de Schaduw wél de herkomst vermoedde, te weten van juist die kraak waarvoor Hippolyte drie maanden in de Santé had opgeknapt. Maar aangezien die kraak de kluis had betroffen van een zekere, door de Schaduw al jaren in de gaten gehouden Ozobol Aschkenazy, internationaal woekeraar en uitmelker van weduwen en wezen, was 't hem, de Schaduw, worst. Of beter gezegd, de zo voortreffelijke ossenhaas die vooraf was gegaan door twaalf al even zo voortreffelijke *Huitres de Brest nr. 1*.

''t Was', zei de Schaduw, 'als gebruikelijk weer top, Hippo.'

'Mooi', zei Hippo. 'En mag ik nu dan weten waarom je nog wacht op een vent van de Sûreté?'

'Straks. Was 't toetje geen dubbel gedestilleerde, op eikenhout gerijpte appelcider', vroeg de Schaduw, 'afkomstig uit de Basse Normandie en ook wel bekend als Calvados? Waarbij dat "dos" tevens het Spaanse telwoord voor twee is, voor 't geval je het niet wist.'

En weer grijnsde Hippo breed en hobbelde hij gehoorzaam van het terras naar de keuken terwijl de Schaduw een kostelijke sigaar uit de zak van 't losgeknoopte bontgeruite vest viste. Beneden hem kabbelde het water van het riviertje de Scarpe. Kikkers kwaakten, forellen floepten, krekels concerteerden en zo nu en dan voerde het zomeravondwindje flarden muziek uit Ste. Angélique aan, waar de plaatselijke fanfare luister bijzette aan het plaatselijke zomerfestival. En dus waren de Schaduw en Hippolyte alleen, aangezien Bellefleur daar haar eigenhandig gestookte eau-de-vietjes verkocht en ook de andere hotelgasten zich er de geneugten van 't Noord-Franse platteland lieten welgevallen. In welke de Schaduw zich, gedroogd en verschoond en voldaan na het luisterrijke diner, geheel kon vinden. Al was 't inderdaad jammer dat de lieve Noor er niet was.

Maar anderzijds kwam 't goed uit. Want hij gaf zich dan wel uit voor monsieur le commissaire, maar was al jaren in ruste. En Noor mócht dan de liefste zijn, maar vooral wilde ze dat zijn voor een 'darling' die niet languit gestrekt tussen zes planken in een door hooggehoede kraaien bestuurde zwarte limousine werd uitgevaren. En dus zou Noor 't bijvoorbeeld allerminst eens zijn met het drieste plan dat tijdens zijn bezoek aan Deo Volente in het schaduwiaanse brein groeide en bloeide en langzaam tot volle wasdom aan 't komen was.

En daar was Hippolyte, zette de glazen en fles op tafel en schonk in.

'En graag,' zei Hippolyte, 'vanaf 't begin. En als 't kan, Schaduw, graag simpel, want 't was een lange dag en we zijn de jongsten niet meer, dus graag zo van: lang geleden was ereis, weet je.'

En de Schaduw begon.

'Niet lang geleden, te weten in de oorlog, was ereis een zekere Paddeke Uijenkruijer. Een jonge Nederlandse jongen die als barkeeper ergens in Nederlands Limburg werkte en verliefd was op een nog jonger meisje, Geertje.'

'Een mens kan niet jong genoeg beginnen,' beaamde Hippolyte.

'Maar Paddeke werd om de een of de andere onnaspeurlijke reden door een jonge priester, August Loutertopf, aan de Duitsers verraden en kwam in het concentratiekamp terecht. Die August vluchtte met Geertje hier naar Frankrijk.'

'Ai,' zei Hippolyte. 'Een smeerlap dus.'

'Geertje,' zei de Schaduw, 'zal gedacht hebben dat Paddeke in het kamp was omgekomen.'

'En de smeerlap troostte haar,' onderbrak Hippolyte grimmig. 'En niet met Gods woord!'

'Nee. Paddeke echter was niet dood, en zocht hen. Maar ditmaal ging het Bijbelse woord van zoeken en vinden niet op, zodat hij ten slotte ergens in de jaren vijftig weer barkeeperde, in Parijs en wel in Le Canard Jaune.'

'Ah!' veerde Hippolyte verrast op. 'Hoe héétte ze ook alweer?'

'Poupette,' glimlachte de Schaduw. 'Poupette la Tulipe.'

'Ja!' grijnsde Hippolyte. 'Godsamme, Schaduw, zeg 't niet tegen Bellefleur, maar ik denk nog weleens aan haar als de blaadjes vallen. Wat een vrouw was dat!'

'En fout,' zei de Schaduw droogjes, 'want ze deed het in die oorlog met een SS'er op wie ik zo terugkom, maar kennelijk wist Paddeke dat niet want ergens in de jaren vijftig woonde hij met haar samen. Tot hij in 1963 die August en Geertje samen zag.'

'O?' zei Hippolyte. 'En waar zaten ze dan?'

'Geen idee, maar hij schreef in zijn memoires dat hij hen op het nieuws van 4 april van dat jaar zag. Maar niet waar dat was. Wél dat hij zeker wist dat August "het" had.'

'Het?'

'Ja,' zei de Schaduw, 'maar vraag me niet hoe of wat want ik weet 't niet.'

'4 april 1963,' zei Hippolyte nadenkend. 'Wat kan 't zijn geweest?'

'Goeie vraag,' zei de Schaduw en hij pakte de gedoofde sigaar, 'maar 't moet belangrijk zijn geweest, want Paddeke verliet Poupette spoorslags en was ervandoor.'

'Om die August af te maken en Geertje alsnog te trouwen,' veronderstelde Hippolyte.

'Nee, want voor zover ik heb begrepen, trouwde hij niet veel later een zekere Jeanine met wie hij hier ergens in de omgeving ging wonen. Onder de naam Padde Le Veilleur, naar ik denk omdat 't zo lastig is je voortdurend als Uijenkruijer voor te stellen.'

'Die vent waar je aan de telefoon naar vroeg.'

'Ja,' knikte de Schaduw. Hij stak de sigaar met Schwoppekes zippo aan en blies peinzend wolkjes rook naar de donkere hemel, waar tergend langzaam het knipperende lichtje van een vliegtuig tussen de sterren doorschoof.

'Overigens vloog die villa na de dood van zijn vrouw in de brand, waarna hij naar Deo Volente kwam. En graag.'

De Schaduw hield zijn lege glas bij.

73

'Daar overleed hij vorige week aan een hartaanval. Toevallig had hij die dag een bezoekster die zei zijn stiefdochter te zijn, en die hem al die jaren niet meer had gezien.'

'Een kind van Poupette?'

'Zou kunnen,' zei de Schaduw, 'want volgens Yvette, de directrice, had ze een Duits klinkende naam. Ze was zeer aangedaan en bleef tot zijn crematie, enkele dagen geleden. Daarna vertrok ze naar vrienden in Parijs met wie ze op vakantie ging.' Hij nipte en rookte. 'Merkwaardigerwijs verscheen er na de crematie opnieuw iemand op Deo Volente die Paddeke in geen jaren had gezien, en wel diens neef, geheten Schwoppeke. Druk bezoek dus voor iemand die in geen jaren iemand had gezien, en als 't nou was omdat hij was overleden... Maar dat hadden stiefdochter en neef nou juist niet geweten.'

'Dus denk jij dat het ergens anders om ging.'

'Zeker,' zei de Schaduw, 'temeer daar er vanochtend vroeg nóg iemand langskwam, ditmaal een jonge Nederlandse vrouw die Lotje heet en die eerder al wilde weten waar die August en Geertje waren gebleven.'

'Zo,' zei Hippolyte, 'da's gek. En hoe wist ze dan dat die Paddeke daar zat, want hij noemde zich toch anders?'

'Van die Schwoppeke,' zei de Schaduw. 'En nog gekker, toen ze hoorde dat Paddeke was overleden, zei ze dat het te laat was.'

'Te laat?' fronste Hippolyte.

'Ja,' zei de Schaduw, 'dus zal ze gedacht hebben dat Paddeke inderdaad meer van die August wist. En mogelijk ook van Geertje.'

Hij haalde de foto tevoorschijn en legde hem onder 't licht van de buitenlamp op tafel. 'Deze foto uit 1944 komt van Lotje. Die bolle jongen is Paddeke, dat meisje bij die poedel zou mogelijk Geertje kunnen zijn en één van die twee priesters is dan Loutertopf.'

'En wie,' vroeg Hippolyte, 'mogen die twee snuiters van Herr Hitlers Herrenvolk wel wezen?'

'Het grijnzende hoofd behoort toe aan een zekere Bonnermann. Of beter gezegd, behóórde, want lang geleden werd hij door een zekere Carlier doodgeschoten.'

'Mooi werk,' zei Hippolyte, 'al was roosteren en daarna verdrinken natuurlijk mooier geweest. En de ander?'

'Ene Freiherr Bolo von Schmalensee die na de oorlog verdween, maar die inmiddels ook dood moet zijn, want d'Aubry vertelde net aan de telefoon dat hij werd geboren in 1891. Hij was overigens die SS'er met wie Poupette een verhouding had.'

'En weet je wat er met haar gebeurd is?'

'Volgens neef Schwoppeke trouwde ze later een Duitse graaf die inmiddels ook dood is. Schwoppeke zag haar nog weleens, want hij woonde daar ook.'

'Zag?' zei Hippolyte. 'Woonde? Verleden tijd? Is ze ook dood?'

'Nee,' zei de Schaduw. 'Maar Schwoppeke wel.' Hij nam een teugje en wilde dat Pompidou eens opschoot want geest en lichaam verlangden inmiddels naar 't ganzenveren dekbed.

'Gisteravond was Schwoppeke bij d'Aubry. Hij liet hem deze foto zien, omdat hij erop hoopte dat d'Aubry mogelijk iets wist over August en Geertje. Die Lotje had de foto in zijn hotel afgegeven en had later op de avond daar een afspraak met hem.' Hij hield de zippo op. 'Omdat Schwoppeke zijn aansteker had laten liggen, wilde ik die 's nachts in zijn hotel afgeven, en ik vond hem daar in zijn badkamer, vermoord.'

'Vermoord?'

'Ja,' zei de Schaduw grimmig, 'met een dolk van het Herrenvolk.'

'Krijg nou wat!' zei Hippolyte.

'En zijn moordenaar, of moordenares, ging ervandoor met de memoires van zijn oom Paddeke, die Yvette hier in Deo Volente onder het tapijt in zijn kamer had gevonden. Kortom, beste Hippo, als we niet zo-even zo kostelijk zouden hebben gedineerd, zou de vraag luiden of je nog peultjes lust.'

Hippolyte keek weer naar de foto. 'En die vent met die hoed op?'

'Geen idee,' zei de Schaduw. 'Schwoppeke meende dat de foto ergens daar in Limburg bij een seminarie werd gemaakt, vanwege die priesters die daar in opleiding zaten. Dus zou 't aardig zijn te weten wat daar toen zoal gebeurde.'

Hippolyte knikte. 'En waar was die Lotje dan toen Schwoppeke werd vermoord? Je zei toch dat ze een afspraak met hem had?'

'Weg,' zei de Schaduw. 'Net als overigens die memoires plus Schwoppekes mobieltje. Maar ze heeft Schwoppeke niet vermoord, want ze had een waterdicht alibi, in casu mij die haar ten tijde van de moord in de gang zag.'

'En waarom zou zijn mobieltje zijn gepikt?'

De Schaduw pufte wolkjes naar de buitenlamp. 'Dat begreep ik ook niet, tot ik hoorde dat Paddeke een testament nalaat waarin twee erfgenamen worden genoemd. Van wie die Schwoppeke er één is. Herstel: wás. Maar omdat de notaris hem niet kon bereiken, werd het ingesproken op zijn voicemail.'

'Ah,' zei Hippolyte, 'zodat zijn moordenaar 't nu ook weet, bedoel je. Van dat testament. Maar wat kan hij er dan mee?'

'Of zij,' zei de Schaduw wijsneuzerig. 'Geen idee.'

'En heb je 't nummer van Schwoppeke?'

'Ja,' zei de Schaduw en hij pafte aan de sigaar. 'Yvette gaf 't. Ik belde het net.'

'En?'

'Niemand thuis,' zei de Schaduw, 'alleen Schwoppeke die vroeg een boodschap achter te laten. En ik ben weliswaar de eerste om toe te geven dat de techniek voor niets staat, maar 't zou nogal een lange kabel moeten zijn, wat?'

'En héb je een boodschap achtergelaten?'

'O ja,' zei de Schaduw, 'een herhaalde oproep namens notaris Bavarde te Ste. Angélique met het dringende verzoek morgenochtend toch vooral aanwezig te zijn bij de opening van oompjes testament.'

'Ah,' grijnsde Hippolyte, 'want jij denkt dat iemand zich voor Schwoppeke uit zal geven, zodat je hem daar in 't snotje hebt.'

'Zo is 't,' zei de Schaduw, 'behalve dat jíj hem daar in 't snotje hebt. Of hen. Want we willen graag weten wie er nog meer acte-de-présence geven.'

'Krijg nou wat,' fronste Hippolyte. 'Ik?'

'Gij,' glimlachte de Schaduw, 'want de aanwezigheid van een zekere Hippolyte Habbakuck, restauranthouder alhier, zal vast minder aandacht trekken dan de aanwezigheid van een zekere Charles Coriolanus Macchabeus Carlier, denk je niet?'

'Huh?' zei Hippolyte. 'Wil je dat ík 'm schaduw?'

'Dat,' zei de Schaduw, 'is de bedoeling. En zo onopvallend als een vlo op een hond want we zijn zeer op je gesteld, Hippo, al was 't maar vanwege je Calvá... en graag.'

Waarop Hippolyte gehoorzaam de Calvá inschonk.

'En is die stiefdochter de andere erfgenaam?'

'Nee,' zei de Schaduw. 'Nogal gek, niet? En nog gekker, er staat nauwelijks geld op zijn rekening, zie je. Maar 't gekste is dat Paddeke weliswaar nooit bezoek kreeg, maar weleens per maand een weekeind wegging. Yvette meende dat 't mogelijk een vrouw was die voor hem betaalde.'

'O?' zei Hippolyte. 'Poupette?'

'Dat lijkt me niet,' zei de Schaduw, 'want hij liet haar ooit in de steek en verder woont ze ergens in Duitsland. Mogelijk is het die Geertje, dan zou hij haar inderdaad hebben gevonden en dan zou die stiefdochter de hare kunnen zijn.'

'Ik moet je bekennen, Schaduw,' zuchtte Hippolyte, 'dat 't me lichtelijk duizelt en niet vanwege de Calvados.'

'Neem er dan nog maar een,' zei de Schaduw, 'want je zult inmiddels wel hebben gehoord dat markies De Cantaloupe vannacht dood in het Bois de Boulogne werd gevonden.'

'Ja,' knikte Hippolyte, verbaasd over die plotselinge wending.

'Die Lotje, die overigens voluit Charlotte heet, wilde eerder gisteravond De Cantaloupe in Le Cheval Blanc spreken.'

'Zo! En weet je ook waarover?'

'Nee. Silvère zoekt het uit.'

'En jij denkt dat 't een met 't ander heeft te maken.'

'Dat,' zei de Schaduw, 'klopt.'

Het was even stil op het concert van krekels en forellen na. Nachtvlinders en vleermuizen scheerden rond de buitenlamp.

'En wat,' zei Hippolyte toen, 'kan jou die Paddeke eigenlijk bommen als 't toch om zijn neef en De Cantaloupe gaat?'

En de Schaduw glimlachte en haalde de halsketting uit zijn zak. 'Dit,' zei hij, 'want ik vond dit vanmiddag op de plek waar Paddeke vorige week zijn hartaanval kreeg en voorover in de vijver lazerde. En eerder zag ik daar een vent die ernaar op zoek was. En aangezien die Gratia daar volgens Yvette was toen Paddeke...'

'Krijg nou wat!' zei Hippolyte. 'Zei je Gratia?'

'Ja,' zei de Schaduw verbluft. 'En hoe dat zo?'

'En zag die vent er soms uit als het kleine broertje van King Kong?'

Oók, knikte de Schaduw. 'Ken je hen soms?'

'Ja,' zei Hippolyte, 'want ze logeerden hier de afgelopen week, weet je. En als je even wacht, haal ik 't gastenboek erbij.'

En hij was al naar binnen voor de Schaduw van zijn verbazing was bekomen en peinzend naar de lichtjes van het dorp verderop staarde, waar de muziek nu was gestopt. Dus Gratia en de aapachtige hoorden inderdaad bij elkaar. En ze hadden hier in De Parel gelogeerd! De afgelopen week. En dus niet bij vrienden in Parijs. En wie waren ze dan?

'Gravin Gratia von Schweinfürstendum,' zei Hippolyte en lei het gastenboek open op het tafeltje, 'uit datzelfde Schweinfürstendum, samen met een zekere Zombo, haar chauffeur. Kamers 1 en 2. Contant betaald. Vier nachten. In een zwarte Mercedes 500 SEL met een Duits kenteken waarmee ze gisterochtend vertrokken.'

En de Schaduw zág de zwarte Mercedes weer in de struiken bij 't kerkhof en daarna achter de hekken voorbij razen.

'Von Schweinfürstendum,' zei hij terwijl de gedachten haasje-over sprongen in het plots kristalheldere brein. Want Schwoppeke had immers gezegd dat Poupette de weduwe was van een graaf Von Schweinfürstendum! Dus was die Gratia dan inderdaad haar dochter?

Hij pakte de halsketting weer en hield hem omhoog zodat het licht van de buitenlamp op de driehoekige roze steen glansde.

'Heb je 'm soms om de hals van die Gratia gezien?'

Fronsend schudde Hippolyte het massieve hoofd. ''k Geloof 't niet. En je suggereert nogal wat, Schaduw. Want als ze daar is geweest, kan ze 'm toch gewoon hebben verloren?'

O ja, knikte de Schaduw. Maar evengoed kon 't 'o nee' zijn.

Want waarom had ze dan niet naar Yvette gebeld of 't ding soms was gevonden, maar in plaats daarvan de aapachtige in de Mercedes gestuurd? Haar chauffeur. Zombo. Zombo wie? Terwijl ze volgens Yvette met vrienden in Parijs naar het zuiden zou zijn?

'En als hij inderdaad van die Gratia is,' zei Hippolyte, 'denk jij dus dat Paddekes dood geen ongeluk was.'

'Zou kunnen,' zei de Schaduw, 'al is de vraag dan waarom. Niet om zijn memoires immers, want die werden pas na Paddekes dood door Yvette gevonden. Tenzij...'

En dan duizelde 't hem, want nu pas zag hij de naam van een andere gast die eergisteren was ingeschreven, voor één nacht. En op hetzelfde moment schoot het de Schaduw te binnen dat Hippolyte in dat afgesloten verleden een zekere Stooflap had gekend.

'En wát,' zei hij, 'voerde Isodorus Smalbil hierheen?'

'Ah!' grinnikte Hippolyte. 'Ja. Ik was blij dat Bellefleur bij haar zieke moeder logeerde, want ze hééft 't niet zo op mijn oude kennissen. Ik wist trouwens niet dat 'ie op vrije voeten was. Jij?'

'Ja,' knikte de Schaduw.

'Enfin,' zei Hippolyte, 'hij had de volgende dag een afspraak in Parijs met een of andere griet om een schilderij te verkopen, maar hij had een ontiegelijke honger, dus was hierlangs gereden, en omdat 'ie toch nog een nachtje had.'

'En waar kwam 'ie dan vandaan?' vroeg de Schaduw.

'Ergens uit de Ardennen. En met de wagen van die griet, die wel poen zal hebben want 't was een Cayenne. Verder heeft ze ook een appartement in Parijs. Van haar vader, volgens Isodorus, een vent die schathemeltjerijk is geworden met bubbelwatertjes en zalfjes en zo, op een of ander landgoed in België. Die vent wilde een schilderij verkopen en je herinnert je vast dat Isodorus ooit in de kunst zat. Dus.'

Ja, knikte de Schaduw, en dacht aan de afspraak van Isodorus en Lumina met De Cantaloupe in Le Cheval Blanc. Dus Lumina was al in Parijs geweest. En had daar een appartement.

'En je weet niet wie de koper van dat schilderij was?'

'Nee. Alleen dat hij daarvoor naar Parijs moest. Hoezo? Is er soms wat, Schaduw?'

'Straks,' zei de Schaduw. 'En toen?'

'Niks,' zei Hippolyte. 'Hij ging gisterochtend gewoon weg. Nodigde me nog uit om langs te komen in dat appartement, dat trouwens niet ver is van dat Le Cheval Blanc waar jij 't over had.'

En toen schalde onder de krekels en de forellen de bel, zodat Hippolyte overeind kwam en mopperend over gasten die hun sleutel waren vergeten naar binnen verdween. Wat de Schaduw niet hoorde omdat hij diep in gedachten voor zich uit staarde. Een appartement vlak bij Le Cheval Blanc. En Lumina was al in Parijs. Waarom? Gratia? Lotje? Schwoppeke? Of vergiste hij zich en was 't gewoon de vermaledijde samenloop van omstandigheden?

En dan stommelde Hippolyte weer het terras op, gevolgd door een bezwete hoofdinspecteur Pompidou die zich uitvoerig excuseerde omdat hij verdwaald was tot hij de Fiat van zijn vrouw had zien staan. En die maar wát graag ook zo'n Calváátje beliefde. En de Schaduw vervolgens een pakje overhandigde waaruit de Schaduw een bordeauxrood paspoort haalde waarvan hij vervolgens de foto nauwkeurig bestudeerde onder 't licht van de buitenlamp.

'Krijg nou wat!' zei Hippolyte nieuwsgierig. 'Die gozer lijkt sprekend op jou, Schaduw. Wie is 't?'

9

Het pand waar het mannetje naartoe wandelde, lag aan een door platanen beschaduwd pleintje waar juist de kerk de eerste van elf slagen liet horen. De kerk was de kerk van de Heilige Angélique en Angélique zelf stond er niet ver vandaan. In steen uitgehouwen, met een stenen manteltje om haar stenen schouders dat net als heur stenen haar bedekt was met een dikke laag duivenpoep. Wat het mannetje deed bedenken dat 't lang niet altijd manna was dat uit de hemel neerdaalde. Desondanks hield Angélique de stenen ogen verwachtingsvol hemelwaarts gericht, hoewel het mannetje daar geen enkele aanleiding toe zag, want 't was héét en het mannetje had dorst, beter gezegd nádorst. En dus was 't hem liever geweest plaats te kunnen nemen op het uitnodigend caféterras niet ver van het pand waarheen hij zijn schreden richtte. Maar hij deed 't toch niet, aangezien 't mannetje niet alleen dorstig maar vooral ook plichtsgetrouw was. En bovendien nieuwsgierig naar een testament en aan wie 't, behalve aan het mannetje, zou worden voorgelezen. En dus verwonderde het hem dat er, afgezien van de stenen Angélique, een busje van het alom bekende hotel-restaurant De Parel van Ste. Angélique en een slapende zwarte kat naast het bordes van het fraaie pand, niemand anders te bekennen was. Maar, zei het mannetje in zichzelf, zoals de maagd van vijftig zei, wat niet is, kan nog komen en zo is 't.

Hij bevoelde het vettige kuifje op zijn hoofd, controleerde of zijn bont gespikkelde vlinderstrikje rechtzat, liep om de kat heen en betrad kwiek het bordesje, waarboven een gebeeldhouwde deur glansde in het zonlicht, alsmede een koperen bord dat meldde dat achter de deur het notariaat van maître Alphonse Bavarde was gevestigd. De laatste slag van de elf slagen van de kerkklok galmde nog na toen het mannetje aan de koperen trekbel trok. Achter de deur stierf het geklingel weg en maakte plaats voor sloffende voet-stappen. Waarna de deur werd geopend door een bol, blozend vrouwspersoon wier lichtblauwe oogjes het mannetje achterdoch-tig monsterden.

'Heppu nafspraak?'

'Zoiets,' zei het mannetje. 'Als ik 't goed heb begrepen, zal mon-sieur Bavarde vandaag om elf uur kond doen van het testament van wijlen monsieur Paddeke Uijenkruier zaliger aan de rechthebben-den.'

De oogjes knepen zich samen. 'Wiebennudan?'

'Dat,' glimlachte het mannetje, 'is een vraag waarover theologen en filosofen zich al eeuwen het hoofd breken maar voor de burger-lijke stand is het Schwoppeke Uijenkruier uit Ulkendam, Neder-land. Tevens volle neef van de betreurde monsieur Paddeke, hier bekend als monsieur Padde Le Veilleur.'

De oogjes lichtten op, het bolle, blozende hoofd rimpelde.

'Assueffegedulthep?'

't Mannetje knikte dat 'ie dat had en keek weer achterom omdat hij een autoportier hoorde klappen. En hij zag hoe een fors gebouw-de, corpulente man uit 't busje stapte en naar het terrasje kuierde waar hij plaatsnam onder een parasol en vervolgens bij een toege-schoten serveerster iets bestelde.

'Híj wel,' zei 't mannetje afgunstig. Hij draaide zich om toen hij voetstappen hoorde en zag in de gang een bleke man in een zwart kostuum, met holle ogen, een zwart snorretje en gladgekamd zwart haar alsmede met twee oren als opengetrapte deuren, zodat het mannetje onweerstaanbaar aan de Dood van Pierlala moest den-ken. En kennelijk had Pierlala haast want hij verdween zonder te groeten achter een deur. Waarop een andere deur werd geopend en het mannetje een oude, magere gier op zich toe zag komen wiens steekoogjes hem boven een gekromde snavelneus loerend opna-men.

'Monsieur Oeienkroeijèr?'

't Klonk het mannetje alsof een sjamaan in de binnenlanden van 't zwarte continent de boze geesten bezwoer, maar hij glimlachte instemmend.

'Om u te dienen.'

'Monsieur Schjwoppeke Oeienkroeijèr?'

'Dezelfde,' knikte het mannetje blijmoedig. 'En al járen.'

De gierenoogjes lichtten wantrouwig op. 'Hebben wij elkaar niet eerder ontmoet?'

'Geen idee,' lachte het mannetje, 'maar 't zou kunnen. Ik reis nogal veel voor mijn beroep, ziet u. Uien. U weet mogelijk dat de uien in la Basse-Normandie van uitmuntende kwaliteit zijn. Vandaar dat ik ook...'

'Kunt u zich identificeren?' raspte de gier.

'Maar natuurlijk,' zei het mannetje, en hij stak een hand tussen de revers van zijn colbertje, viste een portefeuille tevoorschijn, haalde er een bordeauxrood paspoort uit en stak het de ander toe.

Die 't zwijgend opensloeg op de pagina's waarop de ingestanste pasfoto van het mannetje hem aanstaarde met rechts daarvan de bevestiging dat 't Schwoppeke Julius Nicodemus Uijenkruijer betrof, enz. enz., 't geheel bekrachtigd en afgegeven door de burgemeester van Ulkendam (Gron.).

'En hoe of van wie,' vroeg de gier argwanend, 'hoorde u dat het testament van uw oom hier vanmorgen zou worden geopend?'

'Van een zekere mademoiselle Gratia,' zei het mannetje. 'Ik was namelijk enkele dagen geleden in Deo Volente waar ik 't droeve nieuws vernam en gaf daar de directrice de naam van mijn hotel in Parijs, alsmede mijn mobiele nummer. Mademoiselle sprak hedenochtend daarop in. En vandaar.'

'Vreemd,' zei de gier, 'dat zij mij dan niet meer heeft gebeld.'

'Dat,' zei 't mannetje vragend, 'kan misschien te maken hebben met dat zij op het punt stond met vakantie te gaan? Want ze sprák 't namelijk in omdat ze geen tijd had me 't persoonlijk mee te delen.'

De gier knikte langzaam, tuurde opnieuw naar de pasfoto, dan weer naar 't manneke, en stak 't manneke het paspoort toe plus een hand die aanvoelde als een schimmelig washandje.

'Alphonse Bavarde. U spreekt excellent Frans voor een Nederlander, monsieur.'

'Ja,' zei het mannetje. 'Mijn moeder was 't namelijk, de zuster van oom Paddeke. Dorothea Uijenkruijer, ooit bekroond met de Zilveren Ui vanwege haar ingelegde uitjes met zuur van...'

'Ja, ja,' raspte Bavarde. 'Komt u verder.'

'*Merci bien,*' zei het mannetje. Hij stapte naar binnen, veegde tersluiks zijn hand af aan zijn pofbroek en volgde de gier de hoge gang in.

'Begreep ik dat er nog een erfgenaam is?'

'Ja,' zei Bavarde en hij stond stil bij een deur. 'Maar ik heb haar helaas niet kunnen bereiken.'

'Háár?' vroeg het mannetje.

Bavarde knikte, maar was kennelijk niet van zins meer te zeggen. Hij opende de deur. '*Entrez, s'il vous plaît.*'

Achter de deur lag een groot vertrek waarin het schemerde vanwege de gesloten luiken, zodat het mannetje enkele seconden met de ogen knipperde. En snoof. Het rook er naar oude tantes, vond hij, en geen propere tantes maar bedlegerige en al lang verstoken van de noodzakelijke zorg en verschoning. Kortom, 't rook zurig en weeïg maar ook meende het mannetje opgelucht de geur van veraste sigaren te ruiken. Boven een lange, gepolitoerde tafel brandden de kaarslampjes van een kroonluchter. Het schijnsel vonkte op vergulde lijsten van portretten en zo te zien van allang gestorven, mogelijk zelfs uitgestorven andere roofvogels; het glansde op een tikkende pendule, op de contouren van houten dossierkasten en op een kolossaal antiek bureau met bronzen poten waarvoor een versleten lederen fauteuil stond.

'Neemt u plaats,' zei Bavarde. 'Wilt u misschien koffie? Thee?'

'Koffie graag,' zei het mannetje. 'Zwart en zonder suiker, want dat maakt maar dik en dun is de mode, nietwaar?' Waarop hij plaatsnam in de fauteuil en tot zijn vreugde een grote koperen asbak naast een verzilverd sigarenkistje op het bureau zag staan. Bavarde liep om 't bureau heen en drukte met een benige vinger de knop van een intercom in.

'*Eulalia! Un café noir et une verre d'eau!*'

Waarop hij een lade opentrok en er een sleutel uitviste waarmee hij naar een van de dossierkasten liep.

'Als ik 't goed begrijp, woont u in Duitsland?'

'Ja,' zei 't mannetje, 'vandaar ook dat ik mijn oom maar zelden zag. En de laatste keer dus helaas te laat. Kende u hem?'

'Nauwelijks,' zei Bavarde terwijl hij een grote envelop uit de kast trok.

'Ik ontmoette hem en zijn vrouw slechts twee keer, te weten toen zij hun villa kochten en vervolgens toen ze dit testament lieten opmaken.'

'En wanneer was dat, als ik mag vragen?'

'O, lang geleden,' zei Bavarde. 'December 1988.'

'En wanneer, als ik vragen mag, kochten ze die villa ook alweer?'

'O, veel langer geleden. Ik meen ergens in 1963 of daaromtrent.'

Bavarde liep terug, legde de envelop op het bureau en nam plaats tegenover het mannetje. 'Als u wilt roken?'

'Graag,' glimlachte het mannetje. Hij wachtte tot het kistje hem geopend werd toegeschoven en koos zich een klein sigaartje dat hij juist wilde aansteken toen 't bolle, blozende vrouwspersoon binnenkwam en zwijgend een kop koffie voor hem neerzette, met op het schoteltje een kruimelig koekje dat het mannetje opnieuw aan de oude tantes deed denken.

Bavarde nam een slokje uit het glas water, trok een knijpbrilletje uit de borstzak van zijn jacquet, zette het op en pakte de envelop die tot verbazing van het mannetje met een rood lakzegel was verzegeld.

''k Meende dat u 't al geopend had, om de erfgenamen te traceren,' zei hij.

Bavarde schudde zijn hoofd en pakte een bronzen brievenopener. 'Dat was niet nodig. Er zat namelijk een briefje bij waarop de namen van de erfgenamen stonden.' Uit de envelop trok hij een dunne groene map waaraan een briefje met een paperclip was bevestigd.

'De uwe,' raspte Bavarde, 'maar als eerste die van een zekere mademoiselle Dierks.'

Het mannetje verslikte zich in zijn koffie.

'Pardon?'

En zowaar verscheen er een glimp van een glimlach rond de dunne lippen onder de snavelneus terwijl Bavarde 't briefje over het bureau schoof. ''t Is Nederlands, ziet u, en dus is 't misschien beter als u 't zelf leest.'

En ook 't mannetje viste een bril uit de borstzak, een brilletje met montuurloze glazen dat eigenlijk en feitelijk meer als decorum diende, en las stomverbaasd. 'Mademoiselle Charlotte Dirckx.'

Bavarde knikte. 'Kent u haar?'

'Ik meen van niet,' aarzelde het mannetje. 'En wie is ze?'

Bavarde sloeg de groene map open. 'Volgens mijn gegevens werd ze in 1983 geboren in Penneshaw, Kangaroo Island in Australië.'

Het mannetje knikte alsof 't hem wat zei.

'En vreemd,' zei Bavarde, 'dat u haar niet kent, want ze is een kleindochter van uw tante.'

'Humpf,' snifte het mannetje.

'Pardon?' keek Bavarde op.

'Pollen,' glimlachte het mannetje. 'Hooikoorts. 'k Heb het al van jongs af aan, ziet u. Zei u dat ze een kleindochter is van mijn tante? 'k Heb er namelijk nog wel wat, ziet u, tantes.'

'De vrouw van uw oom Paddeke,' zei Bavarde. En opnieuw knepen de steekoogjes zich samen. 'Haar meisjesnaam was immers ook Dierks.'

Het mannetje snifte nu onbetamelijk luidruchtig en haalde haastig een zakdoek tevoorschijn waarin hij overijverig 't neusje snoot.

'Zo,' zei hij, 'dat lucht op!' En glimlachte verontschuldigend. 'Nu u 't zegt, ja. Maar haar heb ik eigenlijk sinds mijn jeugd niet meer gezien. Tante Jeanine... en had zij dan een kind?'

Bavarde knikte, haalde een vel papier uit de map en schoof de bril over de snavel omhoog. 'Uw tante baarde in 1944 in 's-Heerendal een zoontje...'

Hij schoof het papier naar het mannetje.

'Zoals u ziet, heette uw tante toen Zjeertje. Ongetwijfeld zal ook zij haar naam om dezelfde reden als uw oom hebben veranderd.'

En het mannetje zág het.

Op 16 september 1944 had Geertje Dirckx, zestien jaar oud, in 's-Heerendal het leven geschonken aan een zoon geheten Johannes Dirckx.

'Goh,' zei het mannetje en hij vroeg zich af waar en wanneer hij die naam Johannes Dirckx toch eerder had gehoord.

'En zoals u kunt zien, kreeg deze Johannes bijna twintig jaar later in Australië in 1983 een dochtertje, Charlotte, roepnaam Lotje.'

'Zo!' zei het mannetje verbluft. 'En wie was dan de vader van die Johannes?'

Bavarde glimlachte dunnetjes. 'Vermoedelijk onbekend, dunkt me. Uw tante Zjeertje was zestien, 't kwam veel meer voor want het was immers oorlog.'

Het mannetje hoorde de konijnen over elkaar heen buitelen, maar knikte dat 't zo was, 't was oorlog geweest.

'U ziet ook dat Johannes en zijn vrouw een jaar na de geboorte van hun dochtertje uit elkaar gingen,' vervolgde Bavarde. 'Volgens de burgerlijke stand aldaar werd het kind aan de moeder toegewezen. De vader kwam niet veel later bij een verkeersongeluk om het leven.'

Het mannetje zag ook dat. Johannes Dirckx was in 1986 op 42-jarige leeftijd overleden.

'Haar moeder stierf vorig jaar,' zei Bavarde. 'Ik kreeg vanochtend te horen dat Lotje Dierks dit voorjaar was teruggekeerd naar 's-Heerendal, waar haar overgrootvader nog leefde, de vader dus van uw tante zaliger, Johannes Dierks senior. Ik heb vanzelfsprekend meteen naar 's-Heerendal gebeld, maar hij stierf daar vorige maand, honderdenéén jaar oud. Sindsdien is Lotje daar niet meer teruggeweest. En vandaar...'

Ja, knikte het mannetje peinzend. En wat een treurigheid en droefenis was 't allemaal. En 't bevestigde maar weer eens dat 't leven niet meer dan een ademtocht was, nietwaar, en de mens niet meer dan eh... een schaduw?

Waarop de steekoogjes hem even bevreemd opnamen.

'In elk geval,' zei Bavarde, 'heeft uw oom Padde 't meisje indertijd als zijn kleindochter geadopteerd.'

Waarop de pendule sloeg en hij de groene map naar zich toe trok, de steekoogjes enige tijd over de dichtbedrukte tekst liet dwalen om dan met raspende stem de hele juridische santenkraam aan inleidende tekst voor te lezen terwijl het mannetje nog immer peinzend koffie dronk en het sigaartje smookte. En de pendule tikte, ergens in het pand rinkelde een telefoon en ergens buiten pufte een tractor voorbij, waarna ook de telefoon op het bureau rinkelde. Die Bavarde opnam. 'Nu niet,' snauwde hij, waarop hij ophing en dan eindelijk zei:

'... geven ik, Paddeke Oeienkroeijèr en mijn wettige echtgenote Zjeertruida Louise Oeienkroeijèr-Dierks, bij hun volle verstand ten overstaan van notaris Alphonse Bavarde en in het bijzijn van kandidaat-notaris Hercule Mallaut, bij dezen te kennen bijgevoegde envelop na te laten aan Charlotte Dierks, kleindochter van voornoemde Zjeertruida Louise.

En indien Charlotte Dierks ten tijde van het verscheiden van de laatst levende der beide erflaters onverhoopt niet meer in leven is, is bedoelde envelop bestemd voor Schwoppeke Julius Nicodemus Oeienkroeijèr, laatstelijk woonachtig te Bergstrasse 4, Bad Honnef am Rein, Duitsland. Hetgeen eveneens van toepassing is mocht woon- of verblijfplaats van Charlotte Dierks op dat moment onbekend zijn. In dat geval is het onze uitdrukkelijke wens dat voornoemde Schwoppeke Oeienkroeijèr alles in het werk zal stellen haar te vinden en haar alsnog van onze laatste wens op de hoogte te stellen. Waartoe hem een som gelds als nader is omschreven zal toekomen. Was getekend de eerste december 1988 te Ste. Angélique-sur-Scarpe.'

Bavarde zweeg even, nam een slokje water en schraapte zijn keel. 'En aangezien wij noch geïnformeerd zijn over een eventueel overlijden van mademoiselle Charlotte Dierks noch over haar mogelijke verblijfplaats: is monsieur bereid te voldoen aan die uitdrukkelijke wens van wijlen zijn oom als zojuist voorgelezen?'

'Wis en drie,' glimlachte 't mannetje. 'Wie zou ik immers zijn om dat verzoek te weigeren?'

Waarop Bavarde uit de grote envelop een kleiner exemplaar opdiepte en dat het mannetje toestak. Dat nieuwsgierig de bril weer omhoogschoof en dan verbaasd fronste. En niet omdat de postzegel linksboven ongestempeld was maar wel omdat het er een uit Zanzibar was.

10

De Schaduw lag breed- en languit en tot zijn hals in het hete sop in bad en zong uit volle, natte borst het lied van de Tinnen Soldaatjes dat al geruime tijd in 't schaduwiaanse brein en strottenhoofd opborrelde. En borrelen deed 't ook anderszins want het bad was een zogeheten bubbelbad, rond en ruim twee meter in doorsnee en voorzien van acht hydrojets waarvan de Schaduw tot dan toe had aangenomen dat het een soort straalvliegtuigen waren.

Het geheel was uitgevoerd in oudroze, de kleur waarin Hippolyte ook de aanpalende bruidssuite had laten opdirken. Waarin een even groot en rond rococohemelbed stond waarvan de hemel rijkelijk met Bijbelse voorstellingen was beschilderd. En wel uit het Hooglied, waarin de legendarische koning Salomo zo beeldend de geneugten en genoegens van samenzijn en versmelting bezong en dat naar verluidde dan ook 't meest bestudeerde bijbelboek in seminaries, kloosters en abdijen was.

De Schaduw had zojuist de gel uit zijn kuifje gewassen en deinde nu rozig en zingend met glas en smokende sigaar onder handbereik in 't gebubbel en geborrel. Maar terwijl hij luidkeels de avonturen van de zeventien dappere soldaatjes bezong, mijmerde hij over Paddekes testament en in het bijzonder over de envelop die de gier hem, zo nieuwsgierig als een gier maar kon zijn, had overhandigd, in afwachting of monsieur Oeienkroeijèr die envelop zou openen. Waar monsieur Oeienkroeijèr niet over péínsde. Dat had 'ie pas zoeven gedaan nadat hij zich van het klemmende vestje en dito vlinderstrikje had ontdaan en zich in z'n blote roze niks tussen al dat andere roze in het bubbelbad had laten glijden.

Maar al zong hij dan dat 't een aard had, de teleurstelling over de inhoud van de envelop was er niet minder om. De inhoud zijnde een sleutel. Een platte sleutel waar hij niets bijzonders aan kon ontdekken, zij het dat iemand er de letters R.F. in had gegraveerd. Wie of wat was R.F.? En wáár was 't slot? En waarom had Paddeke de sleutel voor Lotje bestemd, want haar naam stond op de envelop. Was 't slot dan ergens op dat eiland Zanzibar? Maar aan de andere kant, R.F. ... Was 't soms République Française? Zanzibar was immers Brits geweest.

Lotje. De kleindochter van Geertje, het meisje op de foto die hij zojuist weer had bestudeerd waarna hij tot de conclusie was gekomen dat ze toen inderdaad zwanger was geweest zoals hij al eerder had gedacht. September 1944 had ze daar in 's-Heerendal een zoontje gebaard, Johannes. Genoemd naar haar vader. En de Schaduw had zich Silvère herinnerd die had gezegd dat Lotje niet stond ingeschreven in dat 's-Heerendal en dat de enige Dirckx daar een oude weduwnaar was die onlangs was overleden. Een maand geleden, volgens notaris Bavarde. En sindsdien was Lotje daar niet meer geweest.

Maar tegen Schwoppeke had ze gezegd dat ze van haar overgrootvader had gehoord waar Paddeke was. Wat, overwoog de Schaduw, vreemd was, want waarom had ze dat niet eerder geweten als Geertje toch haar grootmoeder was? Omdat Paddeke, zei de Inwendige, misschien niet had gewild dat ze dat wist. Ja, knikte de Schaduw, of anders omdat Paddeke niet had geweten waar zíj was, te weten in Australië. Want Geertje en hij hadden dat testament in 1988 laten opmaken en toen al niet geweten waar ze was.

Maar Paddeke had Lotje als kleindochter aangenomen en benoemd tot erfgename. En dus was het kleurenfotootje dat Yvette in zijn paspoort had gevonden, waarschijnlijk van haar. Was ze dan ook Paddekes échte kleinkind?

In elk geval was het duidelijk dat Paddeke Geertje dus had gevonden, in 1963 waarna hij volgens Bavarde hier in de buurt met haar was komen wonen. Het jaar waarin hij bij Poupette was weggelopen. Het jaar ook dat hij Geertje met August op het nieuws had gezien.

'Ik weet zeker dat hij het heeft'.

Had de sleutel met dat 'het' te maken?

En des te nieuwsgieriger was de Schaduw naar de opnamen die Pompidou beloofd had op te sturen, een schijfje met beelden van de nieuwsuitzendingen van die 4e april 1963. Pompidou, die de vorige nacht pas laat naar Parijs was vertrokken omdat Bellefleur was thuisgekomen, op hetzelfde moment dat Eleonora weer bezorgd had gebeld om te horen hoe darling het daar zo alleen aan de Avenue de Neuilly wel maakte. 'Ça va,' had darling in Ste. Angélique geantwoord, onderwijl gebarend dat Hippolyte, Bellefleur en Pompidou hullies kaken op mekaar moesten houden, ''t is eenzaam en we missen je maar we slaan ons er manmoedig doorheen.' En hoe of 't haar en Madeleine daar in de Vogezen verging? Fantastisch, en 't liefst zou ze al aan 't schrijven slaan maar gisteren hadden ze gehoord over een oude tempeliersburcht bij het Duitse Storkenkopf waarvan werd beweerd dat het de bergplaats van de Heilige Graal zou zijn, wat ook alweer zo fantastisch was omdat 't precies aansloot op wat ze al in *Normandische Nocturne* had gesuggereerd, namelijk dat de tempeliers de Graal in 't geheim via Frankrijk naar het Duitse Rijk hadden gebracht.

Waarop de Schaduw verzekerde dat dat inderdaad fantastisch klonk, dat alleen anders méénde maar natuurlijk niet zei, evenmin als dat die tempeliers naar zijn bescheiden mening doorgaans te bezopen waren om op hun benen te staan.

Net als hij zelf overigens, omdat Hippolyte toch nóg een flesje Calvá had geopend omdat Pompidou hem per slot in de lik had gezet waarin hij, Hippolyte, de fotoreportage over Bellefleur had gezien. En hij zijn huwelijksgeluk dus eigenlijk aan die goeie, ouwe Pompidou had te danken en dat daarop geproost moest worden. En niet één keer. Zodat Pompidou uiteindelijk zwalkend en zingend was vertrokken. Met het verzoek na te gaan wie en waar een zekere Zombo was, van wie de Schaduw ondanks alle Calvá een schets had gemaakt die Pompidou, toch goedgelovig, had doen twijfelen of 't toch niet wáár was, van die Darwin en zo. Temeer daar Zombo een Duitse zwarte Mercedes 500 SEL bereed waarvan Hippolyte helaas het kenteken niet wist.

En ook gaarne de personalia, benevens af- en herkomst van gravin Gratia von Schweinfürstendum, residerend aldaar, net als haar stiefmoeder Marie Dubois alias Poupette la Tulipe. Benevens inlichtingen over een zekere August Loutertopf, ooit priester-in-opleiding tijdens WO II in Limburg en dus, indien nog in leven, oud. En voorts was 't zaak alsnog de handel en wandel van het duo Lumina en Isodorus na te laten trekken.

En al was 't verband hem zo helder als de Nationale Begroting, de Schaduw meende vast dat het met Lotje van doen had. Hij dronk en staarde naar twee grote roze tenen die boven 't schuim uitstaken. Lotje die telefonisch een afspraak met Schwoppeke in het Bellevue had gemaakt en aan de receptie de foto voor hem had afgegeven. Maar eerder, om acht uur, had ze een afspraak met De Cantaloupe in Le Cheval Blanc. Die niet door was gegaan, want De Cantaloupe was tijdens zijn gesprek met Isodorus en Lumina naar buiten gegaan en in de Peugeot gestapt. En om middernacht dood in het Bois de Boulogne aangetroffen.

Waarom had Lotje hem willen spreken? Kende ze hem? Een jonge vrouw uit Australië die pas onlangs naar Nederland was gekomen, naar haar stokoude overgrootvader, de vader van haar grootmoeder Geertje die gehuwd was geweest met Paddeke.

Waar ging het dan om? De memoires? Maar wat had De Cantaloupe daar dan mee te maken? En Gratia en die Zombo die hier uitgerekend de dag dat Paddeke stierf waren geweest?

Toeval?

'En gij gleuft het!' zei de Schaduw, die er geen pest en geen donder van geleufde.

Maar er daarentegen heilig van overtuigd was dat 't allemaal met dat testament van wijlen Paddeke van doen had. Een envelop met een postzegel uit Zanzibar. Was de zegel soms geld waard? De Schaduw wist net zoveel van postzegels als een blinde vink van een volière en vond 't maar een omslachtige manier om aardrijkskunde te leren. 't Was niet alleen een ongestempelde zegel, maar vooral een oude, al wist hij niet hoe oud dan wel. Een paarsige zegel zonder tandjes met het portret van de Britse koningin Victoria erop en eronder de naam Zanzibar, waarvan de Schaduw ooit had geleerd dat 't een groot eiland voor de Oost-Afrikaanse kust was en ooit Brits protectoraat. Een huis op Zanzibar?

Volgens Yvette ging Paddeke eens per maand een weekeind naar Lille. Maar ook al zou je een weekeind naar dat verre Zanzibar willen, dan nog ging je niet naar Lille. En dus? Naar een vrouw, zoals Yvette dacht? Toch Poupette in dat Schweinfürstendum dat, wist hij nu, bij Aken lag, dus niét ver? De oude romance weer opgevat na de dood van Geertje?

En was 't dan niet normaal dat stiefdochterlief Gratia was langsgekomen? En dat Poupette misschien niet in staat was geweest de crematie bij te wonen. En was 't tóch toeval dat Zombo dagen later tussen de waterleliën had gezocht? En had die ketting er dan niets mee te maken?

En als wél? Vanwege de memoires?

Nee, schudde de Schaduw 't natte hoofd, want die had Yvette immers pas ná zijn dood gevonden. Dus wat? En wie? En waarom? En...:

En je had quizmaster moeten worden, zei de Inwendige narrig.

En zou je er trouwens niet eens uitkomen, want 't is koud en je baadt in raadsels met de logica van een rotte peer.

'Wat altijd nog beter is dan in 't geheel niet baden,' zei de Schaduw, 'maar je hebt gelijk want 't is lunchtijd. En over lunch gesproken, waar blijft Hippolyte?'

Want 't was al ruim een uur geleden sinds hij, de Schaduw, uit Bavardes kantoor was gekomen en, met een omweg vanwege eventuele volgers, naar De Parel was teruggelopen. Hippolyte had nog steeds bierdrinkend onder de parasol op het caféterras gezeten. Hield hij iemand in het snotje? Waarom had hij dan niet gebeld?

Hij rees al op uit 't bubbelschuim toen er op de deur werd geklopt en het kamermeisje riep dat een koerier zojuist een pakketje had afgeleverd voor monsieur.

'*Un moment!*' zei monsieur. Hij stapte uit bad, graaide een bovenmaatse handdoek naar zich toe en sloeg die om de stomende lendenen. 'En hopelijk staat er een afzender op, want zoals de bom thuis tikt, tikt hij nergens anders.'

En de afzender bleek Pompidou te zijn. En het pakje een dvd van de Television Française waarop volgens een notitie de vier nieuwsuitzendingen van donderdag 4 april 1963 waren gekopieerd. Zodat de Schaduw niet veel later, gehuld in een kakelbonte kamerjas, een verse sigaar in 't frisgewassen hoofd benevens een verse Fontcreuse in de ene en de afstandsbediening in de andere hand beneden in de stille lounge naar het tv-scherm keek waarop een allang vergeten nieuwslezeresje het journaal van die 4e april 1963 aankondigde. Wat, zo vond de Schaduw na een tijdje, maar weer eens aantoonde dat er niets nieuws onder de zon was, ook al nóémden ze 't nieuws.

En dus keek hij naar een ontspoorde metrotrein bij Saint-Lazare, een demonstratie van studenten, een staking van arbeiders, een conferentie van politici, een bosbrand en drie aangespoelde walvissen; en vervolgens nóg een keer, want 't nieuws van vier uur bleek een herhaling van dat van twaalf uur. Om zes uur bleek de bosbrand nog steeds niet geblust, maar was de studentendemonstratie afgelopen en sprak president De Gaulle het slotwoord van de conferentie uit terwijl een van de drie walvissen de geest had gegeven. De Schaduw was al zowat ingedut toen hij plotsklaps opveerde bij 't beeld van twee torens die als de armen van een smekeling naar de hemel torenden en onder in 't scherm de naam STE. CHATELAINE verscheen. Klaarwakker luisterde hij naar de stem van een verslaggever die zich tussen een drom uitgelaten mensen verstaanbaar probeerde te maken.

'In het Noord-Franse stadje Sainte Chatelaine,' hoorde de stomverbaasde Schaduw, 'werd vandaag de herbouwde kathedraal feestelijk ingewijd door de bisschop van Lille, monseigneur Vileine. Aan de herbouw van de kathedraal, die in 1449 door Engelse troepen werd verwoest, werd in 1948 begonnen op initiatief van de pastoor van Sainte Chatelaine, de eerwaarde père Jean Saurel.'

De camera richtte zich naar de trappen en de ingang van de kathedraal, waar een in zwart habijt met paarse sjerp gehulde dikkerd samen met een in krijtstreeppak gehulde andere dikkerd wachtte tot een priester uitgezwaaid was met een wierookvat. Waarna de paarszwarte dikkerd een kwast in een bereids door een koorknaap opgehouden wijwatervat stak en er op zijn beurt mee naar de gesloten deuren van de kathedraal zwaaide. En terwijl een nonnenkoor links van de trappen duizelingwekkend hoog het *Te Deum Ladamus* aanhief, betrad een jonge priester de trappen, maakte een reverence en reikte beide dikkerds, van wie de Schaduw dacht dat 't wel B & B zouden zijn, respectievelijk bisschop en burgemeester, een kolossale sleutel aan.

'Père Saurel,' zei de verslaggever onder 't gezang, 'bekostigde de bouw van de kathedraal van een miljoenenfortuin dat hij na de oorlog van een familielid erfde.'

De camera zoomde in op de twee dikkerds die gezamenlijk de sleutel in het slot staken en vervolgens de deuren openduwden.

En de Schaduw zat als door de bliksem getroffen, toetste dan de pauzeknop in, holde omhoog naar zijn kamer, pakte de envelop met de foto en holde ermee terug naar de lounge. En hield de foto naast het tv-toestel, zijn ogen tot spleetjes geknepen, gericht op een oudere, lachende pastoor die met open armen in de deuropening de twee dikkerds verwelkomde. Maar vooral keek de Schaduw naar een vrouw die rechts onderaan op het bordes nog net zichtbaar was. Een vrouw die hem achter in de dertig toescheen, gekleed in een lange, donkere jurk en met een zwart hoedje op 't opgestoken haar. Maar in wie hij ondanks alle jaren die verstreken waren sinds de foto was gemaakt, nog steeds de jonge Geertje herkende.

En dan galmde de *Danse Macabre*.

En 't bleek Hippolyte, die stotterend van woede meldde met zijn busje bij de laatste Franse benzinepomp voor de Belgische grens te staan.

'En waarom daar?' vroeg de Schaduw verbaasd terwijl hij het geluid zacht zette.

'Omdat,' zei Hippolyte somber, 'ik 'm kwijt ben!'

'Wie?' vroeg de Schaduw.

'Een bleke slungel met een snorretje en flaporen die met een tas uit Bavardes kantoor kwam rennen.'

De Schaduw zweeg en zag Pierlala voor zich in de gang van 't notariskantoor.

'Hij holde naar een zwarte Cayenne,' zei Hippolyte, 'die achter mijn busje stond geparkeerd zodat ik hem niet zag, maar 'k heb wel zijn nummerbord.'

'BBQ-333?' vroeg de Schaduw.

't Was even stil aan de andere kant en hij hóórde 't verkeer daar ergens voorbij razen.

'En hoe weet je dat?' vroeg Hippolyte.

'Later,' zei de Schaduw. 'Zat er iemand anders achter 't stuur?'

'Ja, maar die kon ik niet zien.'

Isodorus? dacht de Schaduw. Lumina?

'Dus je ging erachteraan.'

'Ja,' zei Hippolyte, 'hij ging in de richting van Lille maar opeens sloeg hij af naar Tournai en stopte hij hier bij het benzinestation. En die slungel met de tas stapte uit. Om wat te eten te halen, dacht ik, want hij verdween in het restaurant. Dus ik parkeer wat verderop en wacht tot hij weer naar buiten komt. Wat nogal lang duurt, dus ik stap uit en kuier erheen, maar zie hem niet meer en denk dat 'ie op de plee zit. Dus ik dáárheen, als een vent op een motor me bijna van de sokken rijdt, en meteen zie ik dat bleke scharminkel met de tas weer in die Cayenne stappen.'

'Een motor?' zei de Schaduw.

'Ja,' zei Hippolyte, 'een donkergroene Harley met zijspan. Een vent in laaiend paars met een knalrode helm op. Ik dacht dat ik kleuren-blind werd...'

De Schaduw zweeg verbijsterd en herinnerde zich de paradijsvo-gel die de vorige dag achter hem langs het riviertje naar Ste. Angéli-que was gereden.

'Ben je d'r nog?' vroeg Hippolyte.

'Ja,' zei de Schaduw en hij staarde naar het scherm. 'Zat er iemand in dat zijspan?'

'Nee,' zei Hippolyte. 'Enfin, die Cayenne peert hem meteen. Dus ik hol terug en wat denk je?'

'Die vent op die motor ging erachteraan,' zei de Schaduw.

'Zo is 't,' zei Hippolyte somber. 'Plus dat ik hier sta met twee lek gestoken banden. En maar één reservewiel heb, snap je?'

'Ja,' zei de Schaduw. 'Dus ze hadden jóú in het snotje.'

'Precies,' zei Hippolyte grimmig. 'Ze plakken die banden nu hier. Duurt nog een kwartiertje. En wees zo goed het door te geven aan Bellefleur. Ik zie je straks wel bij de borrel.'

'Dat,' zei de Schaduw, 'valt nog te bezien. Want ik heb haast dus ik ben weg. Ik bel je nog.'

'En waar ga...'

Maar de Schaduw hoorde 't al niet meer, hoorde daarentegen bo-ven in 't hotel de hoge schreeuw van het kamermeisje en rende in de flapperende badjas de trap op. Waar Bellefleur hem doodsbleek bij zijn open kamerdeur aankeek en met trillende stem zei dat 't meisje bij het schoonmaken van zijn bad was aangevallen.

'Door wie?' zei de Schaduw en hij stapte de kamer binnen. Waar 't meisje snikkend en rillend op het hemelbed zat.

'Een aap,' zei Bellefleur huiverend. 'Een grote harige aap!'

'Zo vreselijk!' piepte het meisje. 'Ik hoorde geluid in uw kamer en dacht dat u het was en toen zag ik... Boehoehoe...!' Waarop Belle-fleur haar troostend overeind trok en samen met haar de gang op verdween.

Zodat de Schaduw ook wat zag. Namelijk dat het laatje van zijn nachtkastje openstond. En dat de halskettting er niet meer in lag.

En hoe in vredesnaam, dacht hij, wist Zombo dat de ketting hier was? Had hij hem dan bij de vijver gezien? Maar dat leek hem niet.

Even stond hij nog stil, bukte zich toen en raapte een klein, wat verfomfaaid kaartje op. Een visitekaartje in goud-op-snee met links de met een bolhoedje bekroonde hoofdletter S van de Schaduw en in 't midden de naam van een zekere commissaris Charles C.M. Carlier.

En de Schaduw stond roerloos, herinnerde zich haarscherp dat hij dat kaartje bij d'Aubry thuis aan Schwoppeke had gegeven, puur uit gewoonte en voor het geval dat. En vervloekte luidkeels die Charles C.M. Carlier die zo stom was geweest de vorige nacht in Hotel Bel-levue al niet opgemerkt te hebben dat dat visitekaartje was verdwe-nen.

En dan gilde Bellefleur opnieuw.

'Monsieur! Monsieur! Ze hebben notaris Alphonse overvallen!'

11

Bavarde was nog geen kwartier nadat het mannetje was vertrokken, gevonden door het bolle, blozende vrouwspersoon. Hij lag voorover op zijn bureau, zodat ze eerst aannam dat monsieur le notaire een dutje deed, maar ze had toen tot haar afgrijzen een plasje bloed naast zijn hoofd gezien, waarop ze de hoge C had aangeheven, en dan de huisarts gebeld, en vervolgens de politie. Bavarde bleek bewusteloos na een klap met de zilveren sigarenkist tegen de magere gierennek. Vóór hem lag een grote envelop waarvan het lakzegel was verbroken en waarop werd vermeld dat hij het testament van de heer Paddeke Uijenkruijer bevatte. Wat niet meer het geval was, want de envelop was leeg.

Zodat de Schaduw de voor de hand liggende conclusie aan de dienstdoende inspecteur Coty meedeelde, die zwaar geïmponeerd informeerde hoe en waaróm de beroemde Schaduw hier in Ste. Angélique was, en dan nog wel zo snel op de plaats delict, en nota bene ook nog eens een nauwkeurig signalement van de vermoedelijke dader kon geven, namelijk een zekere Pierlala. Wie dat dan ook was, want dat wist het bolle vrouwspersoon niet.

Waarop de Schaduw minzaam zei dat 't allemaal toeval was aangezien hij hier toevallig enkele dagen logeerde bij zijn oude vriend Hippolyte. Hij had, zei hij, toevallig met Hippolyte afgesproken op het aanpalende caféterras, maar was de tijd vergeten zodat, toen hij daar was, Hippolyte alweer weg was om zijn vrouw op te pikken, en dat hij, de Schaduw toen toevallig een bleke jongeman in een zwart pak met een tas uit het pand van monsieur Bavarde had zien hollen. En dus had aangenomen dat die jongeman voor monsieur Bavarde werkte en een spoedopdracht had. En dat hij, de Schaduw, net toevallig hier weer langskwam in zijn auto vanwege een afspraak elders en een politiewagen voor het pand van monsieur Bavarde zag staan, en dus en zodoende.

't Was inderdaad heel toevallig, beaamde hoofdinspecteur Coty. En had de Schaduw dan ook toevallig een ouderwets gekleed mannetje met een kuifje het pand zien binnengaan? Want dat had het bolle vrouwspersoon verklaard, een mannetje met dezelfde onuitsprekelijke naam als op de envelop stond. Nee, zei de Schaduw, blij dat het vrouwspersoon thuis in shock te bed lag. Jammer, zei Coty, die van het serveerstertje al had begrepen dat Hippolyte inderdaad op het terras had gezeten en hem derhalve graag wilde spreken over een zwarte Cayenne, want die had naast zijn busje gestaan. Had monsieur le commissaire soms mogelijk het kenteken gezien?

'Helaas niet,' zei de Schaduw.

'Hoe jammer,' zei Coty, 'want 't is me een staaltje *brutalité, n'est ce pas*?'

Absoluut, beaamde de Schaduw die aan de ketting dacht. Maar, zei Coty, in elk geval had het serveersterje een mooi signalement kunnen geven van de bestuurder van die Cayenne.

'Ah?' zei de Schaduw verrast.

'Ja,' zei Coty. 'Ze ging namelijk even een boodschap doen en was vreselijk geschrokken, want de bestuurder had naast de auto een sigaret staan roken. Eerst had ze nog gedacht dat hij naar haar knipoogde, maar hij had slechts één oog.'

'Pardon?' zei de Schaduw zachtjes.

'Ja,' knikte 'Coty, zoals de cycloop Polyphemus in de Odyssee. Al zat 't oog dan niet in het midden van het voorhoofd, maar onder de rechterwenkbrauw.' En het linkeroog was dichtgenaaid, had het serveerstertje huiverend gezegd. En net als Polyphemus was de eenogige een reus, zeker twee meter lang. Hij had haar vriendelijk gedag gezegd, maar meer dan dat hij een raar accent had, wist ze niet. Behalve dat toen ze terugkwam, de Cayenne was vertrokken.

Waarop de Schaduw dat ook deed, in de Fiat. In de vrijwel zekere zekerheid dat 't dus Polyphemus was geweest die volgens Silvère met Lumina en Isodorus in Le Cheval Blanc had gepraat de avond dat De Cantaloupe was verdwenen. En waarover hadden ze 't dan wel gehad?

Maakte 't uit? Wis en drie, zei de Schaduw want 't was nu meer dan duidelijk dat Lumina Zagwijn en Isodorus Smalbil er tot aan hun vette nek inzaten. Wáárin precies was weliswaar minder duidelijk want, alweer, wat had de dode De Cantaloupe met de dode Paddeke gemeen behalve dat ze dat waren, dood? Maar 't feit dat Poly toen in Le Cheval Blanc had gezeten en vanochtend in de Cayenne bij Bavardes kantoor, sprak boekdelen. Een boekenkast vol, zei de Schaduw, maar helaas in het Tadzjieks. Want wie was Pierlala dan? En de paradijsvogel op de motor?

Hij draaide de grote weg op en keek toch weer in zijn spiegel, al leek het hem sterk dat hij geschaduwd werd. 't Lag immers voor de hand dat Poly met Pierlala naar dat Aetherus was, net zoals het niet voor de hand lag dat Zombo achter hem aan zat. Beiden immers hadden wat ze hadden willen hebben, respectievelijk Paddekes testament en de halsketting benevens de memoires.

Wat, deduceerde en concludeerde hij onder het voorbehoud van alle mitsen en maren, het steeds waarschijnlijker maakte dat beiden niet met elkaar samenwerkten, mogelijk zelfs elkaars tegenstanders waren. Lumina was immers gespitst geweest op De Cantaloupe, Gratia daarentegen op Paddeke en Schwoppeke. Al was hij er zeker van dat 't om één en hetzelfde ging. Twee honden en het been waarbij hij, de Schaduw, hoopte straks de derde te zijn, al had hij er dan geen flauw benul van waarop te kluiven.

Vanwege 't visitekaartje stond het wel vast dat Zombo en Gratia Schwoppeke hadden vermoord en er met de memoires vandoor waren. Dus was de auto die hij bij het Bellevue had zien wegrijden, de Mercedes geweest. Blééf de vraag waarom dat nazimes, al kon je daar met enige morbide fantasie de hand van Poupette achter vermoeden. En de oorlog. Want ook dat leek hem buiten kijf, 't had alles met die oorlog te maken.

En dan was er dat nieuwsfragment. Want het moest dat item zijn waarom Paddeke indertijd zo opgewonden was geweest. Geertje stond er immers op, de vrouw van een jaar of vijfendertig, rechts onderaan op het bordes van de kathedraal. Maar wie was Loutertopf dan?

Had Paddeke toen geweten dat Geertje een kind had? Een jongetje, geboren in september 1944. Johannes, genoemd naar haar vader Johannes Dirckx. Van hem, Paddeke die toen in het kamp zat? Daar leek het wel op, omdat hij en Geertje later Lotje tot hun erfgename hadden benoemd. Geertje was met August gevlucht. Had ze de baby meegenomen?

Lotje was veel later in Australië geboren, in 1983. Dus was Geertjes zoon Johannes daarnaartoe gegaan. En niet lang na Lotjes geboorte omgekomen. Wat Geertje dus moest hebben geweten, getuige 't testament.

En hoe, dacht de Schaduw en hij draaide bij het bord SAINTE CHA-TELAINE de afslag op en stopte voor de péage, hadden Lumina en companen dan van Paddekes testament geweten? Niet uit diens memoires, want die hadden Zombo en Gratia immers.

De Cantaloupe? Want dat hele verhaal over een schilderij rammelde als het gebit van wijlen tante Amalia. Ook al kende Isodorus De Cantaloupe, dan nog was 't allemaal wel erg doorzichtig: net op vrije voeten met een ijslandschapje naar Le Cheval Blanc waar Lumina een appartement bezat. Maar diezelfde avond met Isodoor teruggereden naar Aetherus, het landgoed van haar vader. Omdat ze bezoek kreeg van Mariska Kowalski die lang geleden achter Von Schmalensee had aangezeten. Die weer de minnaar van Poupette was geweest. Die weer een stiefdochter...

't Is allemaal zo helder als 't ongepoetste glazen oog van m'n achteroudoom, zei de Inwendige.

'Je zegt 't,' zei de Schaduw en herkende het kruispunt waar hij eerder met Eleonora was afgeslagen 'En over glas gesproken.' Want 't was weer heet en hij had weer dorst.

Boven de bomen doemden de torens van de kathedraal op en even later parkeerde hij de Fiat op het plein ervoor, waar het nu aanzienlijk drukker was dan toen hij er met Eleonora door de jonge kapelaan op het terrasje was bediend.

De drukte, zag hij, werd vooral veroorzaakt door hordes toeristen die door woest gebarende en schreeuwende reisleiders uit schreeuwerig beschilderde bussen de kathedraal binnen werden gedreven. Wat de Schaduw met weerzin bezag want hij had nu eenmaal een ingebakken pest aan meutes en massa's, laat staan aan met fototoestellen en camera's behangen meutes en massa's die voortdurend 'O!' en 'Ah!' slaakten bij elke voorgeschreven bezienswaardigheid. Zodat hij zich tussen alle 'O's en 'Ahs' naar het terrasje worstelde en daar als een uitgeputte trekvogel neerstreek tussen een kwetterende groep in hemelsblauw getooide nonnen. En dan een oude, corpulente vrouw uit het café op hem toe zag komen wier linkerbeen in 't gips stak, zodat hij aannam dat zij de eigenaresse was en zich herinnerde dat ze madame Mimi werd genoemd. De jonge kapelaan had immers gezegd dat zij naar het ziekenhuis was.

Hij bestelde een *pression* en besloot te wachten tot het wat rustiger zou worden. Weshalve hij een sigaar opstak en beschenen door het zonnetje naar de kwetterende nonnetjes luisterde, waar hij niets van begreep want 't was een of ander Oost-Europees gekwetter. En als zo vaak verwonderde hij zich erover waarom ze niet heen waren gegaan om zich te vermenigvuldigen. Niet dat 't hem wat uitmaakte, er werd zo te zien al veel te veel vermenigvuldigd, maar 't was nou juist zo on-Bijbels 't niet te doen.

Wat hem weer op Geertje bracht die zich wel had vermenigvuldigd. Geertje die hier die 4e april 1963, waar nu de hordes de treden beklommen en afdaalden, onder aan de trap had gestaan. Een vrouw in een lange donkere jurk en met een hoedje op. Ergens midden dertig, meende hij, wat dan klopte want toen ze beviel was ze een jaar of achttien geweest.

En net als hij moest Paddeke haar op het nieuws herkend hebben. Maar ook August. Maar wie was dat dan geweest? Een van de mensen in de menigte? Waarom waren Geertje en hij er dan geweest?

De Schaduw dankte voor, en dronk gulzig van 't gebrachte bier. En schrok op van Saint Saëns.

'Silvère,' zei Silvère, 'stoor ik?'

'De lijn,' zei de Schaduw want 't ruiste in zijn oor.

Waarvan de oorzaak Silvères zilverkleurige Jaguar bleek te zijn waarin hij onderweg was.

'Naar?' vroeg de Schaduw alsof 't hem aanging.

Wat zo was. Want Silvère bevond zich in 't drukke Parijse verkeer op weg naar Le Cheval Blanc. Waar, zo zei hij, de avond dat markies De Cantaloupe verdween, een auto had gestaan met aan het stuur een man als een reus. 'Een kolos van een kerel,' zei Silvère, 'met één oog. Begrijp je, Schaduw?'

En omdat de verblufte Schaduw geen antwoord gaf, vroeg of hij 't verstaan had.

'Ja,' zei de Schaduw. 'En hoe weten we dit?'

'Omdat die wagen fout geparkeerd stond,' zei Silvère. 'Een donkerblauwe Peugeot 504 op de hoek van de Avenue Montaigne en de Rue du Boccador. Zo'n tien minuten vóór De Cantaloupe verdween.'

'Zo!' zei de Schaduw. Hij zag de Peugeot weer voor zich en hoorde onder 't geruis een 'Halleluja' aanzwellen waaraan geen duizend Händels konden tippen, al kwam er vooralsnog geen koor aan te pas. 'En van wie hebben we dit?'

'Van straatagent Hercule Duclos,' zei Silvère. 'Want Duclos kende die Peugeot, zie je. Wat hoor ik toch steeds voor gekwetter? Waar zit je?'

'Aan 't bier tussen de nonnen,' zei de Schaduw. 'Wat weer eens wat anders is dan aan de nonnen tussen 't bier. En hoe kende Duclos die wagen?'

'Omdat die onlangs gestolen was,' zei Silvère, 'en Duclos een oplettende straatagent is.'

'Mooi,' zei de Schaduw. 'En toen?'

'En toen ging 't licht uit,' zei Silvère. 'Tenminste voor Duclos. En niet met een schakelaar, maar met een hard voorwerp op zijn hoofd. En behoorlijk hard ook want hij droeg zijn pet en hij heeft nog steeds een buil als een biljartbal.'

'Zo!' zei de Schaduw weer.

'Je moet eens wat nieuws verzinnen,' zei Silvère. 'Duclos lag tot gisteravond zwijgzaam in het ziekenhuis met een hersenschudding, maar vanochtend werd die wagen vlak bij Disneyland gevonden. De jongens van Vingers zijn er nu mee doende. Er lag een parkeerticket op de vloermat. En je zult je herinneren dat De Cantaloupe achter in een donkerblauwe Peugeot stapte.'

'Ja,' zei de Schaduw, hád daar natuurlijk al aan gedacht.

'En dat ticket,' zei Silvère, 'was afkomstig uit een automaat in de Rue Marboeuf. Dus nog geen twee straten van Le Cheval Blanc. En nogal een lange straat met veel appartementen, dus we doen er nu buurtonderzoek. En... wat is er? Die nonnen?'

Want 't koor was nu ingevallen en de voorzanger was een bariton met de naam Carlier die zo luidkeels dat 'Halleluja!' had aangeheven dat de kwetterende nonnen hem nu aankeken alsof hij zojuist in zijn natuurlijke staat de vesper had verstoord. En ook madame Mimi nam hem stomverbaasd op, net als, zag hij nu ook, kapelaan Trichy die het terras opliep.

En de Schaduw glimlachte verontschuldigend en zei dat hij zojuist vernam dat hij grootvader van een kleinzoon was geworden. Zodat madame Mimi uitriep dat daarop gedronken moest worden en Trichy zich haastte de blijde gebeurtenis met handen en voeten aan de nonnetjes uit te leggen. En de Schaduw aan Silvère vroeg of hij Pompidou dan nog niet had gesproken, die immers gisternacht in De Parel was geweest.

'Nee,' zei Silvère, 'hij belde zojuist dat hij zich had verslapen.'

'O,' zei de Schaduw, die zich de Calvados herinnerde. En zei toen dat een van die appartementen aan die Rue Marboeuf weleens op de naam van een zekere Lumina Zagwijn kon staan en dat het verstandig was daar dan te neuzen.

Waarop het aan de andere kant ettelijke seconden stil bleef, op het geruis na.

'Je bent verdomd goed ingelicht, Schaduw,' zei Silvère.

'Beter dan opgelicht, wat?' zei de Schaduw.

'En hoe voor de duivel weet je dat?'

Waarop de Schaduw kort over het bezoek vertelde dat Isodorus aan Hippolyte had gebracht.

'En als 't nóg toeval is,' zei de Schaduw, 'dan van een epileptische soort, want het draait en duizelt als een op hol geslagen vaatwasser. En weet je soms of Pompidou al méér weet? Bijvoorbeeld over die Gratia of haar harige huisdier?'

'Nee,' zei Silvère. 'Maar heb je die dvd al ontvangen?'

'Ja,' zei de Schaduw. 'En mijn dank is groot.'

'Je verbazing dan ook,' zei Silvère, 'want je bleek niet de enige die dat nieuwsitem opvroeg.'

'O nee?' zei de Schaduw. 'Wie dan nog meer?'

'Een jonge vrouw die Charlotte Dirckx heet,' zei Silvère.

'Zo!' zei de Schaduw perplex en negeerde Trichy die hem nieuwsgierig opnam terwijl de nonnetjes kwetterend van 't terras naar de bussen liepen. 'En wannéér was dat?'

'Gistermiddag,' zei Silvère.

Gistermiddag, dacht de Schaduw. Dus was Lotje van Deo Volente weer teruggegaan naar Parijs.

'En nog wat,' zei Silvère, 'de taxichauffeur die Paddeke reed, zette hem steevast af bij het station in Lille, weshalve 't spoor daar danig in de knoop raakt want 't zijn daar nogal véél sporen, weet je. En we zijn nu bij Le Cheval Blanc, dus als je 't me niet euvel duidt...'

Waarop hij ophing en de verbouwereerde Schaduw een parelend glas champagne van madame Mimi aannam. 'Op uw kleinzoon, monsieur! Dat 't maar een gezonde kerel mag worden waar Frankrijk trots op mag zijn.'

'En hopelijk ook omgekeerd,' zei de Schaduw en nam een teugje.

'En wat een eer de Schaduw in hoogsteigen persoon te mogen ontvangen! Kapelaan Trichy vertelde me 't zojuist, ziet u.'

'Dank,' neigde de Schaduw 't hoofd, 'maar we zijn hier min of meer incognito, dus als ik mag verzoeken...'

'Ach!' Ze knikte samenzweerderig. 'En uw vrouw? Want ik las haar laatste boek in 't ziekenhuis, weet u, zo prachtig!'

Waarop de Schaduw zei dat Eleonora druk doende was met 't volgende meesterwerk. En weer dronk hij, terwijl de konijnen weer kriskras door het geneigde hoofd buitelden. Had Schwoppeke Lotje in het Bellevue verteld over dat nieuwsfragment hier in Sainte Chatelaine? En was ze dan misschien hier geweest?

Vanuit het café riep een stem dat er telefoon was voor madame Mimi, zodat ze zich verontschuldigde en terughinkte.

'Loopgips?' vroeg de Schaduw.

Ja, zei Trichy, ze was gisteren thuisgekomen en moest eigenlijk rust houden, maar ja, 't was het seizoen nietwaar?

'En wat,' lachte hij, 'mag er zo bijzonder zijn in ons kleine Ste. Chatelaine dat de beroemde Schaduw zich verwaardigt er terug te komen? Moord?'

Mogelijk, zei de Schaduw en zag Trichy's ogen oplichten. 'Op een zekere Paddeke, ruim een week geleden hier niet zo ver vandaan.'

Hij haalde de foto uit zijn binnenzak en legde hem op het tafeltje.

'En 't heeft te maken met een zekere August Loutertopf,' zei hij, 'die hierop staat al weet ik niet wie hij dan is. De foto dateert uit de oorlog en werd in het zuiden van Nederland genomen, waar hij toen opgeleid werd tot priester. En het vreemde is dat meisje bij de hond hier...'

Hij zweeg omdat Trichy stomverbaasd zijn hoofd schudde terwijl hij de foto oppakte.

'Eigenaardig,' zei Trichy.

'Wat?' vroeg de Schaduw.

'Vanochtend was hier een jonge Nederlandse vrouw met dezelfde foto. En dezelfde vraag naar die Loutertopf.' Trichy wees naar de magere man met de hoed.

'Ze zei dat die man haar overgrootvader was die hem uit de oorlog kende.'

'Dirckx?' gokte de Schaduw, 'heette hij zo?'

Trichy fronste aarzelend. 'Ik geloof het wel.'

De Schaduw zweeg en dronk weer. Dirckx, een stokoude weduwnaar die kortgeleden in 's-Heerendal was overleden. Vader van Geertje, grootvader van haar zoontje, overgrootvader van Lotje. En dus?

'En zei ze ook waarom ze Loutertopf zocht?'

'Nee. Eerlijk gezegd kreeg ik de indruk dat ze ergens bang voor was, want ze deed nogal schichtig.'

'Maar dat is père Saurel!' zei madame Mimi en ze stak een beringde vinger uit naar de kleinste van de twee priesters, die de rozenkrans vasthield.

'En dat blonde meisje is Jeanine, zijn huishoudster! Hoe komt u aan die foto?'

'Jeanine?' vroeg de Schaduw verrast.

'O ja,' zei ze, 'geen twijfel mogelijk. Ze was een Nederlandse maar we konden haar naam niet uitspreken dus...'

'Geertje?'

Ja! knikte Mimi heftig. 'Kent u haar? Want niemand weet waar ze is gebleven na de dood van die arme père Saurel. *Mon Dieu*, Jeanine!'

Ze ging zitten en nam opgewonden een slokje van de champagne.

'En had ze misschien een kind?' vroeg de Schaduw, 'een zoontje?'

Nee, schudde madame Mimi verwonderd haar hoofd. Hoe kwam monsieur daarbij?

'En Loutertopf?' vroeg de Schaduw, 'August Loutertopf? Zegt die naam u mogelijk iets?'

Haar grijze ogen staarden hem verwilderd aan. 'August?'

'Ja,' zei de Schaduw.

'Dat riep Jeanine die nacht ook,' zei ze, 'toen hij van de toren werd gegooid!' Ze ging zitten, pakte haar glas en dronk eruit met trillende hand. 'Ik hóór het nog! Ze hurkte bij hem neer en gilde steeds weer: 'August! Lieve August! Nee!'

12

Dus August Loutertopf had zich Jean Saurel genoemd. Père Saurel.
En Geertje zich Jeanine, zijn nichtje. Ze waren in 1946 in Ste. Chatelaine gekomen. Madame Mimi wist het nog goed, haar vader had
toen het café gehad. Sainte Chatelaine was afgezien van de kathedraal
redelijk gespaard gebleven in de oorlog, maar sommige mannen waren naar Duitsland afgevoerd en daar gestorven, onder wie de pastoor. Had August dat geweten? Uitgezocht? Najaar 1944 met Geertje
uit Limburg gevlucht tijdens de geallieerde opmars, dat had nooit
moeilijk kunnen zijn. Twee jaar dus rondgezworven. Waarom gevlucht? Dat was wel duidelijk. Vanwege de wraak van Bonnermann
en Von Schmalensee.

Om 'het'. Een schat.

En daarom die andere naam aangenomen. Net als Geertje en,
bijna twintig jaar later, ook Paddeke.

'Maar dat een zekere W. Shakespeare 't er nou niet toe vond doen
of een roos een roos heet of een drol, omdat ze toch wel lekker blijft
ruiken,' zei de Schaduw, zelf grossierder in aliassen zoals madame
de Pompadour, baron Pierre Tombale, mister Smith of zuster Grim-
balda, ''t stinkt, weet je.'

Waarop de Inwendige riposteerde dat die zekere Shakespeare er
anders wel onsterfelijk mee was geworden.

'Zal best,' zei de Schaduw, 'maar wat heb je d'r an in je eikenhou-
ten kist zes voet diep op 't kerkhof? Er nog van afgezien dat die hele
Shakespeare mogelijk niet eens heeft bestáán. En 't juiste antwoord
op dat *What's in a name?* vindt men naar de bescheiden mening van
een zekere C.C.M. Carlier in dossiers met vingerafdrukken en groezelige pasfotootjes van types die een nummerbord onder hun ongeschoren facie vasthouden. Weshalve we vriend Pompidou zullen
vragen in de dossiers naar de dood van onze August alias Jean Saurel

te speuren, ook al vanwege dat zo vreemde verhaal van madame Mimi. Mits vriend Pompidou de kater buiten de deur heeft gezet.'

En 't wás een vreemd verhaal. Want volgens Mimi was ze die nacht dat Saurel van de toren was gevallen, wakker geschrokken van geschreeuw. En toen ze door het raam van haar slaapkamer boven 't café had gekeken, had ze Saurel naar de kathedraal zien rennen.

'En hoe herkende u hem dan in 't donker?' had de Schaduw gevraagd.

Maar dat had een simpele reden. Saurel was naar de zijbeuk van de kathedraal gerend, waar een buitenlamp brandde, pal tegenover haar slaapkamer. En toen hij de kerk binnen wilde gaan, kwam een andere man uit een auto aanhollen die had geroepen dat hij moest blijven staan.

'En had ze die man ook kunnen zien?'

'O ja!' had ze huiverend gezegd. Ze zou dat gezicht nooit vergeten! Een mager gezicht met felle ogen boven een haakneus. En bovendien met een grote wijnvlek of brandplek van zijn slaap tot over de wang.

'Een griezel!' zei madame Mimi en ze huiverde nóg eens al was 't ruim zevenveertig jaar geleden.

En 't was duidelijk dat père Saurel vluchtte, want hij was in nachtgewaad. Beide mannen waren de kerk in verdwenen.

Zodat Mimi dodelijk ongerust de gendarmerie had gebeld, maar daar was niet opgenomen. En ook de reden daarvoor was simpel, want de dienstdoende agent had een oogje op een aantrekkelijke weduwe die naast de gendarmerie woonde.

'Wat je dus noemt een náchtdienst,' grinnikte Trichy en hij bloosde er zelf van.

En, zei Mimi verontwaardigd, toen de gendarme er ten slotte was, had hij haar niet geloofd, omdat er geen spoor van die man met de haakneus was gevonden.

'Was u er maar geweest, monsieur!'

Waarop monsieur weer neeg en had gevraagd wat de recherche dan wel had gezegd. Die, zei Mimi minachtend, had aangenomen dat père Saurel net als wel vaker 's nachts naar het dakkamertje was gegaan om door zijn telescoop naar de sterren te kijken. Maar juist daarom, zei Mimi heftig, had ze zo goed kunnen zien dat Saurel in paniek uit het raampje had willen klimmen. 'Dáár!' wees ze omhoog naar 't dakraam.

'Ja,' knikte de Schaduw en hij zág de ijzeren beugels die naar de linkertoren leidden.

En was er niemand anders inmiddels wakker geworden die haar verhaal kon bevestigen?

'O ja,' zei Mimi, namelijk Jeanine, die een kamer op de eerste etage van de pastorie bewoonde.

Ze had Jeanine in nachtjapon naar buiten zien hollen juist op het moment dat Saurel was...

'Gevallen,' zei de Schaduw.

'Gedúwd!' zei madame Mimi met nadruk. Al had ze dat niet gezien. Maar wel een silhouet achter Saurel. Een silhouet met een haakneus. Waarop Trichy een grimas maakte en de Schaduw zich Mimi's voorliefde voor 'detectiefjes' herinnerde. Maar dan nog bleef het merkwaardig dat Saurel 's nachts in nachtgewaad het dak op had gewild.

Haakneus was als een wildeman in de auto weggereden, maar père Saurel was nog niet dood geweest, want toen Mimi naar buiten was geholt, had Jeanine huilend geroepen dat ze de huisarts moest halen. Mimi had niet naar Saurel durven kijken, maar wel gezien dat Jeanine onder het bloed zat en steeds weer dat 'August, lieve August!' had gesnikt. Maar 't gekke was dat Jeanine was verdwenen toen ze eindelijk terugkwam met de huisarts, en père Saurel dood. Een gealarmeerde buurman had gezegd dat hij Jeanine met een man en een koffer uit de pastorie had zien komen. Niet veel later waren er rechercheurs uit Lille gekomen die ten slotte hadden geconcludeerd dat het of een ongeluk of zelfmoord was geweest.

Desondanks hadden ze een opsporingsbericht naar Jeanine doen uitgaan zonder dat 't ooit wat had opgeleverd. Een week later had Zijne Eminentie de bisschop van Lille in de kathedraal persoonlijk de requiem-mis geleid. Waarna Saurels deerlijk verminkte lichaam in de tombe werd geborgen die hij voor zichzelf had laten bouwen.

En had ze er enig idee van waarom niet lang na zijn dood de dekplaat kapot was geslagen?

'Als u 't mij vraagt: geld!' zei madame Mimi opgewonden terwijl Trichy zijn hoofd schudde.

'Geld?'

'Of goud! Want de koster had hem en soms ook Jeanine daar wel-eens 's nachts in de tombe zien afdalen, weet u. 't Verhaal ging dat père Saurel ergens in de oorlog een schat zou hebben gevonden die aan de Duitsers had toebehoord. En daarvan zou hij de kathedraal hebben laten restaureren, ziet u.'

'O,' zei de Schaduw. 'Dus 't was géén erfenis geweest?'

O nee, knikte madame Mimi heftig. Jeanine had eens in een ver-loren ogenblik gezegd dat Saurel die schat ergens in Nederland van de Duitsers had geroofd, die 't op hun beurt weer van hun slachtof-fers hadden gestolen. En omdat 't geld of goud van al die arme drommels was geweest, had père Saurel er de restauratie van de ka-thedraal mee betaald.

Maar niemand had geloofd dat dáárom de dekplaat van Saurels tombe kapot was geslagen, want er had niets ingelegen.

'Niet méér!' zei madame Mimi.

Maar had niemand dan iets gehoord? Want 't was me nogal wat.

'Nee,' zei Mimi. Het was immers gebeurd op de avond dat het feest van de Heilige Chatelaine werd gevierd, en monsieur Carlier wist toch hoe 't toeging op zo'n *grande fête*, compleet met kermis en fan-fare, eten en vooral wijn?

'En of!' beaamde de monsieur, die dol was op alles wat maar naar zo'n grand fête riekte. En 't in tegenstelling tot Trichy buitengewoon aannemelijk vond. Maar Trichy wist dan ook niets van die merk-waardige laatste notitie van Paddeke, die zeker had geweten dat Au-gust 'het' had.

Eindelijk, zo vond de Schaduw in navolging van 't scheppingsver-haal, was er na alle woest- en ledigheid licht in de duisternis. En als 't wáár was wat madame Mimi vertelde, was 't een fikse batterij lam-pen.

Een schat. Waarvan Paddeke ook weet had gehad, en die daarom door August was verraden. En vermoedelijk tevens om amoureuze redenen, te weten Geertje. Geertje die in september 1944 haar zoon-tje Johannes had gebaard. Van Paddeke, die naar het concentratie-kamp was afgevoerd? Steeds waarschijnlijker, vond de Schaduw, want als August de vader was geweest, zouden ze 't kind toch hebben meegenomen? Mogelijk had ze de kleine Johannes bij haar vader, Johannes Dirckx, achtergelaten en had het kind zich daarom later ook Dirckx genoemd. Maar waarom had Geertje dan na de oorlog geen contact gezocht? Omdat ze het niet had aangedurfd? In elk geval had ze wél geweten dat haar zoon een dochter Lotje had, want in 1988 had ze immers met Paddeke het testament laten opstellen.

Bleef de vraag waarom Geertje dan op haar beurt Paddeke niet had gezocht, maar dat antwoord leek de Schaduw logisch. Ze had waarschijnlijk aangenomen dat hij het kamp niet had overleefd.

En dan? Paddeke was teleurgesteld in Parijs als barkeeper gaan werken, waar hij Poupette had ontmoet.

En de Schaduw kneep even verbijsterd de ogen dicht, en niet vanwege de zon die in de voorruit van de Fiat blikkerde.

Was dát de reden geweest dat Poupette bij Paddeke het bed in was geschoven? De schat? Had August Paddeke van de diefstal beticht en had Von Schmalensee hem dáárom naar Dachau gestuurd?

Von Schmalensee was als zoveel nazi's na de oorlog in rook opgegaan, al was 't dan helaas niet die van 't plaatselijk crematorium. Had Paddeke aan Poupette over August en de schat verteld en Poupette 't weer aan Von Schmalensee?

Een buurman van Mimi had Geertje samen met een man uit de pastorie zien komen. Niet de griezel met haakneus en wijn- of brandvlek die eerder was weggereden. Paddeke? Met wie ze zich dan niet veel later als monsieur en madame Le Veilleur nabij Sainte Angélique vestigde. Rentenierend. Dat vooral. De twee gelieven die elkaar hadden hervonden. 't Kon, dacht de Schaduw vertederd, onder de nijver tikkende vingertjes van de lieve Noor zowaar uitgroeien tot een liefdesepos in het rijtje Pyramus en Thisbe, Romeo en Julia, Tristan en Isolde of Abélard en Heloïse. Alhoewel? Paddeke en Geertje?

Maar 't verklaarde véél. Paddeke die zich na de dood van Geertje in Deo Volente had teruggetrokken en ten slotte zijn neef Schwoppeke gevraagd had te komen. Schwoppeke, die het nietsvermoedend aan tante Poupette had verteld. Waarop Poupette haar stiefdochter Gratia met Zombo als de mieter naar Deo Volente had gestuurd. En, als Paddeke was vermoord, waarom dan? Omdat hij geweigerd had te vertellen waar de schat was?

Stond dat mogelijk in zijn memoires, de reden dat ook Schwoppeke was vermoord?

Kon óók, knikte de Schaduw. 't Verklaarde immers nog méér, zeker nu hij wist dat Lotje het kleinkind van Geertje, en mogelijk ook van Paddeke was. Lotje die het van haar overgrootvader had gehoord, de man met de hoed op de foto. Dirckx in 's-Heerendal. Was Paddeke al die weekeinden naar hém toe gegaan, want zo ver was 't niet vanaf Lille. Maar wat had de oude Dirckx er dan mee te maken gehad? En die Haakneus?

Zanzibar. Lag de schat op Zanzibar?

En als, dacht de Schaduw somber, dat in de memoires stond, wisten Gratia en Zombo het dus. Net als mogelijk ook Lumina en Isodorus, die het testament hadden.

Maar niet de sleutel!

Want die was in 't bezit van een mannetje dat ook daarom nu voortdurend in zijn achteruitkijkspiegel loerde, ook al had hij dan geen kuifje meer.

En De Cantaloupe? dacht 't mannetje. De Cantaloupe die ook een afspraak met Lotje had maar bij Polyphemus in een gestolen donkerblauwe Peugeot was gestapt. Polyphemus die die donkerblauwe Peugeot eerder om de hoek had geparkeerd. En 't daar kennelijk zo belangwekkend had gevonden dat hij een agent bewusteloos had geslagen en in de kofferbak gestopt. Dus had Polyphemus daar willen blijven, niet ver van de Rue Marboeuf, waar Lumina een appartement bezat. Waarom was de markies na een telefoontje in die Peugeot gestapt?

En dus was 't allemachtig interessant wat Silvère en Pompidou daar in dat appartement zouden aantreffen, ook al waren Lumina en Isodoor die avond terug naar Aetherus gereden. En verder was 't even interessant te weten wie die Pierlala en de paradijsvogel waren.

'En verder zou ik 's oppletten,' zei de Inwendige, 'want je bent zojuist de afslag naar Ste. Angélique gepasseerd, en je kunt hier niet keren, weet je. En bovendien hangt er al een tijdje een zwarte Mercedes achter je.'

Wat allebei het geval was, want 't was de autoroute waarop die Mercedes nu opeens gas gaf en voorbij stoof, nog net een glimp tonend van een gezonnebrilde hoogblonde vrouw aan 't stuur. Maar 't was een Fránse Mercedes, zodat de Schaduw zelf ook gas gaf en op zoek ging naar een *aire* om daar de kaart te bestuderen. Waar hij enkele minuten later tussen caravans en campers parkeerde, een sigaar opstak en in de Michelingids zocht wáár die aire dan wel lag en hoe alsnog naar Ste. Angélique en vooral naar Hippolytes rijkelijk gedekte tafel te komen.

Verrast zag hij dat ook de volgende afslag daar weliswaar naartoe leidde, maar de andere kant op, onder meer naar Saint Quentin. Waar hij óók een hotel wist, zij 't dat de tafels daar aanmerkelijk minder rijkelijk waren gedekt voor de spaarzame lunch van water en brood. Weshalve hij vastberaden startte en de Fiat tussen etende en drinkende gezinnen naar de afrit manoeuvreerde, want 't was naar schatting nog geen dertig kilometer naar dat staatshotel waaruit Isodorus enkele weken geleden was vrijgelaten. Wat hij nog immer verbazingwekkend vond. 'Want je maakt het noch mijn zuster noch de kat wijs,' zei de Schaduw, die overigens geen van beiden had, 'van dat goed gedrag.'

Hij draaide de Fiat naar de péage, stak de creditcard in de automaat en suisde onder de geheven slagboom oostwaarts richting Saint Quentin, een kaarsrechte, stille weg op tot een halfuurtje later het zo vertrouwde silhouet van het gevangeniscompex opdoemde waarin hij zo dikwijls Tuig, Trifel en Tinnef had doen opbergen. En weer een kwartier later zag hij dat andere immense, vertrouwde silhouet van het Opperhoofd der Cipiers achter een matglazen deur opdoemen, een silhouet dat zelfs het grootste Schoelje en Schorremorrie vrees inboezemde en wiens bijnaam niet voor niets Hellehond luidde. Die in werkelijkheid Philippe Floriac heette en lang geleden onder de bezielende leiding van de Schaduw als Flippie de eerste schreden op het Pad der Wrake en Gerechtigheid had gezet.

En Flip vond 't als altijd een genoegen dat de illustere Schaduw hem een bezoek bracht. En al stond hij op 't punt huiswaarts te gaan, wáár kon hij de Schaduw mee van dienst zijn?

'Als 't kan een whisky zonder ijs,' zei de illustere, 'en verder, beste Flip, zou 'k graag geïnformeerd worden over Isodorus Smalbil die hier een week of wat geleden wegens goed gedrag werd vrijgelaten.'

'Wát?' zei Flip.

'Isodorus Smalbil,' zei de Schaduw, 'bijgenaamd Stooflap, door ondergetekende persoonlijk hier binnengebracht wegens foezelen, falsificaties en fraude.'

'Waarissie?' vroeg Flip schor en haalde een fles malt uit de bureaula.

'Hoezo?' vroeg de Schaduw verrast.

'Omdat ik 'm terug wil!' zei Flip grimmig, 'om hem eerst op een hoog vuurtje te zetten en daarna flink door te laten sudderen, en 't liefst in kokende olie, vat je!'

'Geen lorrenkar vol,' zei de Schaduw.

'Omdat,' zei Flip, die diep ademhaalde en de malt openschroefde, 'drie weken geleden tijdens mijn vakantie de prefect een vervroegd vrijlatingsattest voor Smalbil tekende. In ruil waarvoor de lullo, zijnde de prefect, foto's kreeg waarop prefect doende was met zekere handelingen met een dame die niet zijn echtgenote was. En ik kan er geen fluit tegen doen, want de handtekening van de lullo is rechtsgeldig zoals je weet.'

Hij schonk twee glazen in en gaf er een aan de Schaduw, tussen wiens oren het koor langzaam weer dat 'Halleluja' inzette en niet alleen vanwege de tongstrelende malt.

'En hoe,' zei de Schaduw, 'weet jij 't dan?'

'Omdat ik de lullo vroeg hoe 'ie het godginderhier en godginderdaar in z'n lullokop had gehaald om Smalbil vervroegd vrij te laten. En de lullo me jankend smeekte er niets over te zeggen en dat 't toch niet uitmaakte omdat Smalbil anders twee maanden later toch zou zijn vrijgekomen. Waarop de lullo me vervolgens de bewuste foto's liet zien en zei dat hij me toch zelf ooit hier had aangesteld, en dat de ene dienst toch de andere waard was, en dat zijn vrouw...'

En Flip zweeg en gulpte somber de whisky naar binnen.

'En wáár waren die foto's dan gemaakt?' informeerde de Schaduw.

In Parijs, zei Flip, een week of wat geleden. De lullo wist niet precies waar, want iemand had iets door zijn drankje geroerd, maar 't kon volgens hem nooit ver zijn geweest van het bekende Le Cheval Blanc waar de lullo na een of ander lullocongres was gaan dineren en tegen die vrouw was opgelopen.

'Zo!' zei de Schaduw, 'en herinner jij je nog hoe ze er op die foto's uitzag?'

Waarop Flip mismoedig grijnsde en zei dat 't onvergetelijk was. Vooral gróót, zei Flip, en dan álles, vat je? En daarom alleen al was ze niet de wettige eega van de lullo geweest, die volgens hem meer weg had van een pygmee met anorexia. Want de vrouw was wel zo slim geweest haar gezicht niet te laten zien. En daarom dacht Flip dat ze ook een pruik droeg, een blonde, het haar als worstjes opgestoken, als de Schaduw vatte wat hij bedoelde.

'Als een Walkure?' informeerde de Schaduw.

'Verdomd!' zei Flip. 'Hoe ráád je 't?'

'Intuïtie,' zei de Schaduw. En had Flip hier ergens het dossier van Isodorus? En Isodoors weekstaten? Want hij, Schaduw, was er buitengewoon in geïnteresseerd of Isodoor tijdens de laatste weken van zijn verblijf bezoek had ontvangen dan wel telefoontjes, bijvoorbeeld van een Belgische of althans een Belgisch ingezetene Lumina Zagwijn.

'Belgische?' zei Flip verrast.

'Ja,' zei de Schaduw, 'en ik vermoed Vlaamse, gezien die naam, want 't klinkt Hollands. Zegt 't je soms wat?'

'Ja,' zei ook Flip, trok een lade van zijn bureau open en haalde er een plastic map uit. 'Hij kreeg de laatste tijd inderdaad een paar telefoontjes uit België. En je weet dat wij niet mogen meeluisteren, maar wel registreren.' Hij sloeg de map open, bladerde erin. 'De week voor de lullo hem vrijliet werd hij driemaal gebeld. Wie 't was, is onbekend, maar het nummer staat op naam van Aetherus, centrum voor Spirituele...'

'... en Harmonieuze Ontwikkeling,' zei de Schaduw, 'ergens in Ollimont, Belgische Ardennen.'

'Verrek!' keek Flip op, 'en hoe weet jij dat?'

'Vanwege die Lumina Zagwijn,' zei de Schaduw die 't Halleluja inmiddels weer hoorde ruisen, 'voor wier vader zij dat Aetherus bestiert. En die blond is, Lumina, en bovendien heur haar worstvormig heeft opgestoken. En juist een appartement niet ver van Le Cheval Blanc bezit. Ik neem aan dat de, eh, lullo de foto's niet meer heeft?'

'Nee,' zei Flip. 'Verbrand.'

'Jammer,' zei de Schaduw, 'alhoewel 't anderszins de eetlust zou verstoren, wat?'

Waarop hij glimlachend het lege glas de stomverbaasde Flip toe-schoof. 'Schenk nog eens in, Flippie.' En dan zijn mobiel opnam. En een tijdje naar Silvère luisterde. En hem vervolgens vroeg om on-verwijld een opsporingsbericht te doen uitgaan naar Isodorus Smalbil. Maar niet naar Lumina Zagwijn.

'Nóg niet,' zei de Schaduw.

'En waaróm niet?' vroeg Silvère, maar de Schaduw had al opge-hangen en bracht peinzend het gevulde glas aan de dorstige lippen.

13

Het mannetje bladerde door de goud-op-snee-brochure die was verluchtigd met illustraties en wazige foto's waarop volgens de bijschriften aura's, etherische velden, magnetisch fluïdum, ectoplasma en katharische levensstromen stonden afgebeeld.

't Leek het mannetje eerder gortebrij dan wel sigarenrook, maar hij bekeek het allemaal met grote interesse door zijn uilenbril en dacht weemoedig aan zijn tante Amalia, die zwoer bij uierzalf, warme chocolademelk en hete kompressen. Want begreep hij al geen fluit van de warrige tekeningen en onscherpe foto's, nog minder van de aangeboden cursussen. Zoals daar waren: Zijnsoriëntatie, Transcendente Zelfanalyse, Astrale Acupunctuur, Therapeutische Massage, Het Visionaire Ik, Tibetaanse Rebirthing, Peruviaanse Counselling, Ludieke Ziele-expressie, Verbindend Communiceren, Aura-Zelfhulp, Transparante Klankschaalmeditatie, Hermeneutische Psychotherapie, Loslaten van het Ik en De Zeggingskracht van Hout.

Dat laatste sprak het mannetje overigens wél aan, daar hij die zeggingskracht tijdens een lange carrière vele malen succesvol en in diverse vormen had uitgeprobeerd, waaronder de ploertendoder, de honkbalknuppel, de tafelpoot of simpelweg de plank.

En gooi het maar in m'n pet, dacht het mannetje. Wat heel goed kon want de pet lag voor hem op een tafeltje, een donkerblauwe alpinopet waarvan de vrouw van het mannetje vond dat hij, de pet, *terrible* was. En dan niet het Franse complimenteuze 'terríble', maar het Engelse afkeurende 'térrible!' met een licht Schots accent.

'Darling, je ziet eruit als een dominee die van zijn geloof is gevallen! Waarom dráág je dat ding in vredesnaam!'

Beter van je geloof dan met een volle karaf van de keldertrap, dacht 't mannetje. Die 't verder raadzaam vond zijn vrouw, maar vooral ook anderen, juist niet te vertellen waarom hij het ding droeg en onder welke omstandigheden die maar bitter weinig met dat vredesnaam van doen hadden. En ook anderszins blij was dat ze er niet was, omdat zijn snor en baard haar evenmin zouden bevallen. Hem zelf overigens ook niet, want ze jeukten als een broek vol mieren.

't Mannetje las voorts dat er deze week lezingen werden gegeven door een zekere Mariska Kowalski over de mysterieuze oorsprong van Rembrandts clair-obscur. Hij overwoog hoe boeiend het zou zijn zo'n lezing bij te wonen. Niet vanwege die mysterieuze oorsprong, want volgens 't mannetje was 't gewoon een kwestie van een lik witte verf, maar wel omdat 't zo lang geleden was dat hij Mariska had gesproken. Er stond een foto van haar bij, en hij vond haar met haar donkere haar en gitzwarte ogen nog steeds een buitengewoon mooie vrouw. En hoe merkwaardig, bedacht hij, om niet te zeggen hóógst merkwaardig, was 't dat juist zij hier was, de vrouw die toen samen met hem jacht had gemaakt op de verdwenen Freiherr Von Schmalensee, de beul van haar vader.

En dan keek hij op, omdat ergens in de immense hal het staccato klikken van hakken weerkaatste. En hij zag dat 't de hakken waren van lederen laarzen, en dat de laarzen de benen omsloten van een rijzige vrouw wier blonde opgestoken lokken hem aan kunstig gedrapeerde goudgele saucijsjes deden denken. Ze droeg een soort witte overall en over haar kolossale boezem golfden kleurige kralenkettingen. Het mannetje legde de brochure neer, kwam overeind en blikte vriendelijk omhoog naar twee ijsblauwe ogen waarvan hij de indruk had dat je er ook stalen platen mee zou kunnen doorboren.

'Monsieur Popwobble?'

En een stem om 't met diamánt te doen, vond het mannetje terwijl hij glimlachend knikte. 'Om u te dienen, madame. *Reverend* Percy Popwobble.'

De ijsblauwe ogen glimlachten ijzig terug. 'Men spreekt mij hier aan als grootmeesteres, monsieur.' Een beringde hand, vlezig en groot als een zij spek, omklemde die van het mannetje. 'Grootmeesteres Lumina. U komt uit Engeland?'

'Zo is 't,' zei Popwobble. Uit St. Columb Major in Devon, niet te verwarren met St. Columb Minor. Hij was de reverend van de kerk van St. Magnus the Martyr, waar de grootmeesteres vast van had gehoord.

'Nee,' zei de grootmeesteres. 'U spreekt overigens verbazend goed Frans voor een Engelsman, monsieur.'

Merci, knikte Popwobble met pijn in de nek en kriebel onder snor en baard. Hij had namelijk Franse familie van moederskant, en wel in het Noord-Franse stadje Ste. Angélique-sur-Scarpe. Mogelijk had ze weleens gehoord van een herberg annex restaurant daar, 'De Parel van Ste. Angélique?'

'Nee,' zei de Grootmeesteres weer.

Dat was dan spijtig, zei Popwobble, want zijn nicht Bellefleur zwaaide daar de pollepel. Vooral haar 'Filet de Boef à l'Empereur' met geschaafde witte truffels was een ongeëvenaard culinair hoog-standje. Hij proefde 't bij wijze van spreken nóg, was er gisteren vanuit Calais eerst langsgegaan.

En vergiste hij zich of was er even een scheurtje zichtbaar geweest in 't ijs?

Maar direct erop vroor 't weer.

'Hier op Aetherus geven wij de voorkeur aan geestelijk voedsel, monsieur.'

'O maar *bien sûr*,' beaamde Popwobble, en als reverend was hij de eerste om dat te erkennen, maar stond er ook niet geschreven dat het lichaam de tempel van de geest was en dus en zodoende?

Ze gaf geen antwoord en keek even naar zijn twee koffers, een grote en een kleine.

'En uw auto?'

'Taxi,' zei Popwobble, 'ik vind 't namelijk allemachtig lastig, dat rechts rijden, ziet u, dus nam 'k de trein naar Luik.'

Ze knikte. 'Ik zal uw bagage zo naar uw kamer laten brengen.'

En fronste omdat hij de kleine koffer toch optilde.

'Mijn memoires,' glimlachte Percy Popwobble en pakte met de andere hand de alpinopet, 'ik zou niet graag willen dat er iets mee gebeurde.'

De ijsblauwe ogen knepen zich even samen, openden zich dan weer.

'Wilt u me volgen?'

Waarop ze hem met grote stappen voorging door de doodstille

hal, haar laarzen kletsend op het marmer, een doodstille witgepleis-terde gang door waar aan de muren pastelkleurige tekeningen hin-gen waar 't mannetje geen wijs uit kon worden en dus wijselijk ook niet naar informeerde.

'En hoe,' vroeg ze, 'ben u te weten gekomen over Aetherus?'

'Juist vanwege die Parel,' zei Popwobble, want toen hij daar vorige keer logeerde, had hij er een oudere vrouw ontmoet die hier was geweest en die zich spiritueel als herboren voelde.

Ach, zei ze. En wist hij soms hoe die vrouw heette? Want 't was altijd prettig om te weten dat een cliënt tevreden was, nietwaar.

Zo is 't, beaamde Popwobble. Hij zou graag hetzelfde willen kun-nen zeggen over zijn parochianen, die 't helaas echter meer in *spirits* dan in die spiritualiteit zochten. En nee, hij wist de naam van die vrouw helaas niet meer. Wel dat ze een oudere Duitse gravin was geweest, maar dat was natuurlijk niet verwonderlijk hier, zo dicht bij Duitsland.

Ze hielden stil bij een witte deur waarop in goudkleurige letters DR. L.M.N.O. ZAGWIJN stond.

'Doctor?' vroeg Popwobble.

'Ja,' knikte ze. 'In de Geheime Leer van Mahiyana, en wel in de zevende graad bij de Yogi Yogananda in Puni.'

'Zo!' zei Popwobble, die geen flauw benul had wie die Mahiyana dan wel Yogananda mochten wezen. 'En als ik 't goed begreep, is uw vader de oprichter van Aetherus?'

'Ja,' zei ze en opende de deur, al praktiseerde hij niet meer en be-reidde hij zich nu voor op de kosmische Wende.

'Ach,' zei Popwobble. 'Die Wende. Tsja.' Ze betraden een cirkelvor-mige ruimte, waar het zonlicht via cirkelvormige dakramen bin-nenviel en het cirkelvormig blad van een witte tafel bescheen. Afge-zien van een witte telefoon en een witte laptop stond er niets op. Eromheen stonden zeven rechte, witte stoelen. De helft van de ron-de wanden bestond uit veelkleurig glas-in-lood, waarin hij dezelfde vage figuren en vormen herkende als op de tekeningen in de bro-chure en in de gang.

'Gaat u zitten,' wuifde Lumina, die zelf achter de laptop plaats-nam. 'Ik neem aan dat u vermoeid bent na de reis. Het zal ook maar even duren. Daarna kunt u zich ontspannen en iets drinken. Overi-

gens wordt hier geen alcohol geschonken, noch mag er worden gerookt, zodat de geest onbeneveld is en de lichaamssappen puur...'

Heel goed, knikte Popwobble, die bij dat 'puur' alleen al een droge
mond kreeg.

'Daarentegen treft u in uw kamer zelfbereide vlierbessensiroop en
natuurlijk het Aetherus Levenswater aan, en kunt u wierook en
mirre branden. De maaltijden worden gezamenlijk in het atrium
genuttigd en zijn vanzelfsprekend vegetarisch en biologisch verant-
woord.'

'Geweldig,' zei Popwobble en zette het koffertje voorzichtig naast
zijn stoel om de inhoud niet te laten rinkelen.

En wát? vroeg ze terwijl haar beringde vingers over 't toetsenbord
gleden, was de beweegreden van monsieur hier te komen? Want 't
was nogal opmerkelijk, een dominee hier op Aetherus waar Bijbel
en christendom eerder als beknellend dan als bevrijdend werden
beschouwd.

Maar juist daarom, glimlachte de dominee, want zo voelde hij 't
namelijk ook na alle jaren. Als, om 't nog even bij die bijbel te houden, een herder van een kudde die in duisternis dolende de weg
naar de schaapskooi kwijt was, als de grootmeesteres begreep wat
hij bedoelde. Kortom, hij, de reverend Percy Popwobble, was ten
prooi aan knagende twijfel en daarom zo geïntrigeerd geweest door
het gesprek met die oudere gravin.

'Schweinfürstendum!' zei Popwobble.

'Pardon?' zei de grootmeesteres.

'Haar naam schiet me net te binnen!' knikte Popwobble enthousi-
ast, 'de naam van die gravin. Von Schweinfürstendum. En zegt 't u
wat?'

'Nee,' zei de grootmeesteres nadenkend. 'Nee, 'k geloof van niet.
En wanneer was zij hier dan?'

'Geen idee,' glimlachte Popwobble, 'en 't is ook niet belangrijk,
wat? Veel belangrijker is dat ik daarom gisteren bij mijn lieve nicht
in Ste. Angélique per e-mail contact met u zocht en u me zonder
mankeren kon inschrijven.'

'Voor drie dagen,' zei de grootmeesteres, die inmiddels een kolossale helrode vlinderbril had opgezet en naar de monitor tuurde. En
had hij zelf al een idee welke cursus hij wilde volgen?

Tja, aarzelde Popwobble, aanvankelijk had hij de Tibetaanse Rebirthing overwogen, maar je wist immers nooit wie je dan tegenkwam, nietwaar? En dus twijfelde hij nog tussen het Visionaire Ik en de Transcendente Zelfanalyse, hoewel hij toch ook dacht aan de Regressieve Bloementherapie, temeer omdat hij thuis in St. Columb zo graag rozen kweekte.

Waarop een ijzig glimlachje hem ten deel viel en ze hem adviseerde ter introductie de Astrale Massage te nemen.

'Doen we die,' zei Popwobble grootmoedig en hij keek welwillend toe hoe ze het intoetste.

'U begint vanmiddag om drie uur,' zei ze. 'Uw meester is Sem Pratyara. U kunt tot dan rusten in uw kamer, waar u ook de voorgeschreven kleding van Aetherus aantreft.'

Mooi, knikte Popwobble.

En helaas moest ze dan toch de aardse kant van de zaken aanroeren, te weten of de reverend cash wilde betalen of per creditcard, te weten het al doorgegeven bedrag van *all in* 1.500 euro. En of 't meteen kon, zodat zijn geest vrij van materiële ballast de weg naar 't Licht op kon gaan?

Waarop Popwobble een opmerking binnenhield over oplichten, en al naar de goedgevulde portefeuille tastte toen er werd geklopt. Meteen erop werd de deur opengedaan door een vrouw met opgestoken zwart haar en gekleed in een soort witte pij. En kennelijk was ze geagiteerd, want ze merkte Popwobble niet op.

'Zou je even willen komen, lieve Lumina?' zei ze. 'Want ik zou graag willen dat...'

En toen merkte ze Popwobble wél op.

En ze stond als verstijfd, haar gitzwarte ogen wijdopen, zodat Lumina vroeg wat er dan wel was. Waarop Popwobble haastig een vinger voor zijn lippen hield en daar vervolgens onder de ijskoude blik uit de ijsblauwe ogen ijverig mee in 't snorretje krabde.

'Eczeem,' zei Popwobble. 'Zodra 't zomer wordt...'

'Sorry!' zei Mariska Kowalski nerveus. 'Ik wist niet dat je bezoek had. Ik, eh, kom zo nog wel even.'

En ze was de gang al op, terwijl Lumina haar verbluft nastaarde en dan weer naar de hevig krabbende Popwobble keek.

'Kent u haar mogelijk?'

'Nee,' zei reverend Popwobble en hij haalde de goedgevulde portefeuille tevoorschijn, 'maar ik zag zojuist haar foto in uw brochure en vroeg me af of ik mogelijk een lezing van haar bij zou kunnen wonen, want 'k ben altijd al geïnteresseerd geweest in mysteries en zo, ziet u.'

Maar Lumina antwoordde niet, haar ijsogen begerig gericht op de bundel bankbiljetten.

Zodat er even een schaduw van een glimlach onder het snorretje van de reverend Popwobble gleed. Maar 't was dan ook de glimlach van de Schaduw.

14

Baard en snorretje behoorden tot de vaste inventaris van het koffertje, dat geen memoires maar wel memorabilia bevatte. Die in de verste verte niets van doen hadden met de nobele roeping van de reverend Popwobble, maar alles met die van commissaris C.C.M. Carlier alias de Schaduw. Hoewel ook de Schaduw zich net als de reverend gaarne mocht beroepen op de Tien Geboden wanneer hij het Goddeloos Geteisem bestreed. En hij even gaarne verpoosde met het Oude Testament, waarin de Here der Heirscharen dat zo leerzaam en aanschouwelijk demonstreerde.

't Koffertje bevatte dan wel geen sprinkhanen, pestbacillen of andere oudtestamentische plagen, maar wel een meterslang touw met enterhaak, de oude, vertrouwde Betsy, kaliber .45, alsmede een Beretta-pistool .25, een ploertendoder, een setje moedersleutels, een doosje kraaienpoten voor hinderlijke achtervolgers, een werpmes, een stel handboeien en een bola, zijnde een drieriemige lasso met loden kogels die Andalusiërs graag rond de poten van een op hol geslagen stier slingerden, en de Schaduw rond de poten van op hol geslagen voortvluchtigen.

En afgezien van een dubbele bodem, waaronder een envelop schuilging beplakt met een postzegel uit het verre Zanzibar, bevatte 't koffertje tevens een kostelijke fles 18-jarige malt benevens een doos even kostelijke Willem II Nobel-sigaren.

Zodat de Schaduw nu smokend en drinkend aan een bureautje zat dat met een smal bed, een klerenkast en een koelkastje het enige meubilair was in een kaal en kil kamertje, dat hem deed denken aan soortgelijke kamertjes waarin hij zoveel van 't GG had opgeborgen, 't enige verschil dat het raam niet betralied was en hij de beschikking had over een badkamertje en toilet. Die hij, net als de kamer, eerst minutieus had gescreend op camera's en microfoons, want je wist immers maar nooit, waarna hij bij gebleken ontstentenis daarvan met een zucht van verlichting baardje en snor van zijn facie had verwijderd.

Mariska had hem dus herkend. Wat geen wonder was, want ze had hem al eens eerder met snor en baard gezien, al was 't lang geleden tijdens een gekostumeerd bal in Engeland, waar hij tijdens dat zo merkwaardige Avontuur dat nadien in de Annalen als *De Zwarte Pontifex* was geboekstaafd, ook die reverend Percy Popwobble had leren kennen, aanvankelijk als tegenstander, nadien als goede vriend in dat andere, zo horrible Avontuur getiteld *Menuet te Middernacht*.

En wat had ze gedacht toen ze hem zag? En had Lumina argwaan gekoesterd?

Dan, meende de Schaduw, zouden we 't wel merken, wat? Peinzend staarde hij uit het raam waarachter enkele dure auto's van de Aetheriaanse clientèle op een parkeerplaats stonden. Waaronder een zwarte Porsche Cayenne, die hij al had opgemerkt toen hij hier per taxi was aangekomen. De taxi die hij overigens niet vanaf Luik had genomen, maar in het drie kilometer verderop gelegen stadje waar hij Hippolytes stokoude MG achter het plaatselijk kerkhof had geparkeerd. Vandaar ook de alpinopet, want de linnen kap van de MG tochtte als een melkkoe in de lente, zodat 't rijplezier danig vergald kon worden door koutjes en oorontstekingen. En 't risico dat de alpino af zou waaien was minimaal, aangezien de pet met draadstaal was gevoerd en wel zo ingenieus dat hij met één ruk tot een flitsend rapier dan wel lasso werd getransformeerd.

En, bepeinsde de Schaduw, als de Cayenne hier stond, was Isodorus hier dan ook? Isodorus die dankzij een allerminst spirituele grootmeesteresselijke massage van een zekere lullo als vrij man de nor was uitgewandeld. En dus was Isodoor nodig geweest. Vanwege De Cantaloupe, aan wie hij al vaker schilderijen had verkocht. Vermoedelijk had Isodorus De Cantaloupe verlekkerd, en gelokt met een Hollands ijslandschapje, al was de reden, om in Aetheriaanse termen te blijven, in wazige aura's en dito nevelen gehuld.

En des te meer was de Schaduw teleurgesteld over de bevindingen van Silvère in dat appartement. Waar 't volgens Silvère vooral naar chloor, bleekwater en lodaline had gestonken en waar desondanks vingerafdrukken van Isodorus en mogelijk van Lumina Zagwijn waren aangetroffen, maar niet, waarop de Schaduw vurig had gehoopt, van de lullo of van markies De Cantaloupe. Alhoewel Silvère het met hem eens was dat De Cantaloupe mogelijk eerst daarnaartoe was gebracht nadat hij in de Peugeot was gestapt. Die weliswaar ook was schoongemaakt, maar niet afdoende want achterin was een duimafdruk van de markies aangetroffen en op 't stuur die van een onbekende vinger. Die dus naar alle waarschijnlijkheid van Polyphemus was, zodat Silvère de trouwe Gezel Hans Uyttenbogaert, tevens hoofdcommissaris te Amsterdam, inmiddels had gecontact aangezien de gerant van Le Cheval Blanc immers had gemeend dat Polyphemus Nederlander was. Net als Isodoor.

En ook Silvère was opgewonden geweest over een vermelding in Isodorus' strafdossier die mogelijk verband hield met De Cantaloupe. Diens naam kwam weliswaar niet voor in dat dossier, maar toen de Schaduw het gisteravond op het terras van De Parel doorvlooide, trof hem een aantekening over een zaak die hij allang was vergeten. En die de reden was geweest dat dat zwakke lampje in 't schaduwiaanse brein was aangefloept toen in Hotel Bellevue bleek dat Lotje als woonplaats dat 's-Heerendal had opgegeven. Een lampje dat nu als een spotlight was gaan branden.

Want jaren geleden was Isodorus met veel te veel 's-Heerendaller bier op juist in datzelfde 's-Heerendal aangehouden. Waarbij de dienstdoende dienders tien schilderijen van Hollandse meesters in de kofferbak aantroffen, waarvan ze er twee meenden te herkennen als een Jan Steen en een Rembrandt.

En niemand die Isodoor had geloofd dat 't legale handel voor een opdrachtgever was, temeer daar hij 't verdomde de naam van die opdrachtgever te noemen. Dus verdween Isodoor in 't cachot. Maar hij werd, nauwelijks weer nuchter, enkele dagen later alweer vrijgelaten omdat die opdrachtgever zijn verhaal was komen bevestigen, bewijs leverend dat hij de wettige eigenaar van de schilderijen was, die hij van een particulier had gekocht. Hij had dringend verzocht om diens en zijn eigen anonimiteit te waarborgen, ook al ging 't om kopieën. Weliswaar perfect, maar toch. En aangezien ze niet waren gesigneerd, was 't ook niet strafbaar. Wat wáár was.

Maar desondanks had de Schaduw na terugkeer uit Saint Quentin vanuit De Parel nog laat gebeld naar een gramstorige Uyttenbogaert in Amsterdam, die al sliep. En 't verzoek gedaan om na te laten gaan of er daar in 's-Heerendal nog een diender rondliep die zich kon herinneren wie die anonieme opdrachtgever was geweest, hoe hij eruit had gezien en of hij soms Fransman was.

Want, dacht de Schaduw, kon 't soms De Cantaloupe zijn geweest? Een excentrieke en schathemeltjerijke bankier die immers die Hollandse meesters had verzameld zoals een huisvrouw spaarpunten, maar die ook meesterwerken verhandelde. En dus ook kopieën? En wie had ze dan zo perfect vervalst?

En natuurlijk, dat vooral: waaróm dat 's-Heerendal, de woonplaats van de oude Dirckx? Had Isodoor hem gekend?

En die anonieme opdrachtgever bleek inderdaad De Cantaloupe te zijn geweest. Wat derhalve een duister licht wierp op diens imposante collectie, om niet te zeggen een clair-obscur. Maar des te meer op die afspraak in Le Cheval Blanc. Want waarom was de markies dan gedood? En door wie? Want nogmaals, dat dikke strafdossier van Isodorus zou verplichte leerstof moeten zijn voor studenten criminologie en aankomende speurneuzen, maar moord kwam er niet in voor. Lumina? Polyphemus die de Peugeot had gereden? Of Pierlala met de overmaatse oren, die 't testament van Paddeke had gepikt? 't Testament dat nu ongetwijfeld hier ergens in Aetherus was, reden waarom hij, Schaduw, er eveneens was.

Wat de vraag opriep waar dan Paddekes memoires waren. En waar dus Gratia en de aapachtige Zombo. En met name de laatste, aan wie hij, Schaduw, vanwege een halsketting o zo graag nu de zeggingskracht van een stuk hout zou demonstreren!

De naam Schweinfürstendum had Lumina niets gezegd, daar was hij zeker van. En dus was 't zoals hij al eerder had gedacht, en met een variant op Kipling: *East is East and West is West and never the twain have met*. Enerzijds Gratia en Zombo en wellicht Poupette, anderzijds Lumina, Isodoor, Polyphemus, Pierlala en de paradijsvogel. Met als *meeting point*, om zo te zeggen, Paddeke, Geertje, Schwoppeke, De Cantaloupe en August, en een schat die...

Hij schrok op van een klop op de deur waarna een hoge knijpstem riep dat hij monsieur Popwobble over vijf minuten naar de meditatieruimte moest brengen. En of monsieur Popwobble niet wilde vergeten de voorgeschreven kledij aan te trekken.

Dus doofde de Schaduw de sigaar, dronk het bodempje op en repte zich naar het badkamertje. Waar hij zich tot op zijn interlock-je ontkleedde en de zacht gewoven witte pij aantrok, die hem eens temeer deed denken aan de eerwaarde reverend Popwobble, schrijdend door de St. Magnus the Martyr daar in Columb Major. Hij borg de whisky en sigaren in 't koffertje en wilde baardje en snorretje opplakken, toen de *Danse Macabre* inzette.

En 't was Pompidou, wiens stemgeluid hoofdpijn en een opgezette keel verraadde.

'De kater buitengezet?' informeerde de Schaduw.

'Vergiftigd,' zei Pompidou somber, 'met kilo's aspirine. Maar het kreng leeft nog. En 'k heb drie mededelingen.'

''k Heb drie minuten,' zei de Schaduw.

'Ten eerste,' zei Pompidou, 'is Gratia von Schweinfürstendum het enig kind van een zekere graaf Otto Knotsenbübbel, wiens vrouw omkwam in 't kraambed van Gratia. Van die Otto is niet veel bekend behalve dat hij in 1960 het grafelijk kasteel in dat Schweinfürstendum met bijbehorende titel kocht. Gratia is van 1961, voormalig fotomodel en hoogblond.'

De Schaduw zweeg en herinnerde zich dat Snurkmans 't had gehad over een hoogblonde vrouw die in het Bellevue naar Schwoppeke had geïnformeerd.

'Otto hertrouwde eind 1963 met Marie Dubois, alias Poupette la Tulipe. Hij stierf begin jaren negentig. Sindsdien woont Poupette alleen op dat kasteel met Gratia. Maar wat je zal verbazen, is dat die Zombo aanvankelijk de chauffeur was van Freiherr Von Schmalensee.'

'Zo!' zei de Schaduw verbluft.

'Ja,' zei Pompidou. 'En nu nog steeds van Poupette. Ten tweede, over chauffeurs gesproken: de vingerafdruk op 't stuur van de Peugeot is volgens Uyttenbogaert van een zekere Kodde Beyer. Die dezelfde is als jouw Polyphemus. Verdacht van moord en doodslag, maar gepakt wegens messentrekkerij, waarbij hij dat oog verloor. En die tot voor kort in Saint Quentin zat, bij jouw vriend Smalbil.'

'Aha!' zei de Schaduw.

'En ten derde,' vervolgde Pompidou, 'lijkt het erop dat er nog iemand anders achter in die Peugeot zat toen De Cantaloupe instapte.'

'Ah,' zei de Schaduw. 'En weten we wie?'

'Mogelijk,' zei Pompidou. 'Silvère denkt dat het een man was, want er lag een zakdoek in de auto die naar ether rook en waarop de initialen ZZ staan geborduurd. En volgens Silvère zou 't daarom om zekere Zibbedeus Zagwijn kunnen gaan, de vader van jouw Walkure Lumina Zagwijn en bovendien president van Aetherus.'

Hoewel 't voor de hand lag, gaf de Schaduw geen antwoord. En niet zozeer vanwege dat ZZ en die Zibbedeus Zagwijn, maar omdat hij buiten, achter het raam, een rood Dafje naast de Cayenne zag parkeren. Waaruit een jonge vrouw met zwart opgestoken haar en in een parelgrijs mantelpakje stapte. Die al met een koffer wilde weglopen, maar toen hém zag en verstarde, en bij de verbijsterde Schaduw het oudtestamentische beeld opriep van Lots vrouw die in een zoutpilaar veranderde. Die weliswaar geen Lot-jé had geheten, maar toch.

En de Schaduw zwaaide.

'Ben je d'r nog?' vroeg Pompidou.

'Ja,' zei de Schaduw, nog steeds zwaaiend naar de vrouw wier donkere ogen wijdopen in paniek op hem waren gericht.

'Wat vreemd is,' zei Pompidou, 'want die Zibbedeus zou toen al in zijn villa in Antibes hebben moeten zijn, maar daar is 'ie nooit geweest.'

'Wat?' zei de Schaduw terwijl de vrouw haastig in 't Dafje terugdook en startte.

'Die Zibbedeus Zagwijn zou naar Antibes gaan, maar is daar niet geweest.'

'O,' zei de Schaduw en hij herinnerde zich dat Silvère 't daarover had gehad. En zag gefrustreerd hoe 't Dafje draaide en vervolgens met hoge snelheid verdween.

'En waar is 'ie dan?'

'Geen idee,' zei Pompidou, 'mogelijk in dat Aetherus. Dus je snapt het.'

'Ja,' zei de Schaduw. Die 't inderdaad snapte, net als waarom Lotje er zo-even als de mieter vandoor was gegaan. En die zichzelf vervloekte niet eerder 't baardje en snorretje te hebben opgeplakt, want natuurlijk had ze hem herkend als Schwoppekes aanvaller.

Waarom was ze hiernaartoe gekomen?

'En verder,' zei Pompidou, 'betreft dus...'

Waarop er dringend op de deur werd geklopt en de knijpstem riep dat meester Sem wachtte.

'Sorry,' zei de Schaduw, 'maar we worden geroepen tot Hogere Sferen. Ik bel zodra we weer zijn afgedaald.'

Hij hing op, borg ook het mobieltje in het koffertje, opende het raam, keek naar de stille parkeerplaats, boog zich voorover en schoof het koffertje tussen de voorwielen van een geparkeerde roomwitte Rolls-Royce. Want 't zou immers best kunnen dat een zekere grootmeesteres nieuwsgierig was naar de memoires van de reverend Popwobble.

En nog steeds was hij verbijsterd over Lotje. Kende ze Lumina dan? Want dat ze zich hier voor een of andere cursus zou hebben ingeschreven, zou hem verbazen. Veeleer, leek hem, had het te maken met de dode Cantaloupe. En dus?

Hij sloot het raam, plakte snor en baardje op, trok het toilet door en opende dan de deur. En keek verrast naar Pierlala in een wit gewaad met een gitzwarten kralenketting om de magere nek. Twee even gitzwarte ogen namen hem stekend op, een even magere hand wenkte.

'De vlierbes,' zei de Schaduw terwijl hij de deur sloot en de sleutel in de zijzak van de pij stak. ''t Zal ongetwijfeld heilzaam zijn voor geest en lijf en zo, maar je móét er ook zo nodig van, weet je.'

Pierlala snoof en ging hem zwijgend voor, een andere witgepleisterde gang in dan hij gekomen was, langs wit geschilderde deuren waarachter hij achtereenvolgens getingel, geneurie, geroffel, gezucht, gesteun, geriedel, getrommel, gezang, gesnik en gesnuif opving. 't Zou allemaal wel astraal en lucide zijn en zo, vond de Schaduw, maar 't deed hem vooral denken aan een overbevolkte kraamkliniek. Alsof de ganse clientèle van Aetherus doende was weder te worden geboren, te regresseren dan wel te spiritualiseren want ook de hal en het trappenhuis lagen er uitgestorven bij.

Dus Pierlala werkte hier. En wát was ertegen om Pierlala niet bij de reusachtige flaporen te pakken en hem op straffe van jaren oorverdovende stilte tussen vier kale muren 't hoe, wie, wat en waarom te laten bekennen? Maar tegelijkertijd besefte hij dat Pierlala waarschijnlijk slechts voor 't uitvoerend werk was en even waarschijnlijk de boel oorverdovend bij elkaar zou schreeuwen. En verder besefte hij dat wat niet was, altijd nog kon komen.

De blote voeten van Pierlala kletsten op de marmeren treden die naar het souterrain voerden, de kralenketting rinkelde en verder rook de Schaduw een hoop weeïge luchtjes variërend van aange-brande brandnetelsoep tot doorgestoofde mierikswortel, zodat hij met weemoed dacht aan de keuken van De Parel waar Hippolyte nu ongetwijfeld doende was truffels te schaven of de Boeuf à l'Empereur te kruiden.

In een schemerroze verlichte gang toetste Pierlala naast een meta-len deur een code in, duwde de deur open en liet de Schaduw een hoog vertrek binnen waar ijle koormuziek ruiste en de muren in zachte pastelkleuren waren geschilderd. In het midden stond een kolossale ronde massagebank waarboven een goudkleurig arma-tuur zachtjes ronddraaide en bundels kleurig licht verspreidde.

Pierlala gebaarde dat hij plaats moest nemen op de bank en pakte eronder vandaan een drinkbeker en een fles waarvan het etiket, on-der de ineengevlochten letters ZZ, vermeldde dat het Zagwijns Le-venswater bevatte.

'Moet 't?' aarzelde de Schaduw.

Ja, knikte Pierlala die de fles ontdopte, want 't zuiverde en hielp hem zich te ontspannen. De Schaduw hield een opmerking binnen dat hij dan wel andere drankjes kende, ging zitten op de bank, de blote beentjes zedig over elkaar geslagen, nam het aangereikte inge-schonken glas aan en snoof er even aan. Want al had er dan een dop op de fles gezeten, wat als Lumina inderdaad argwaan had? Maar 't zou nog méér argwaan wekken als hij niet dronk. 't Geurde ook niet naar bittere amandelen of vitriool. En dus nam hij een teugje en hij vond het tot zijn verrassing zelfs lekker smaken, zodat hij nog een slokje nam.

De gitzwarte ogen boven 't gitzwarte snorretje staarden hem uit-drukkingloos aan en beduidden toen dat hij moest gaan liggen, waarna een magere hand naar de armatuur reikte en de lichtbun-dels langzaam doofden tot de Schaduw slechts kleurige spelden-knopjes boven zich zag. En dan wél iets rook, een weeïge geur als van wierook, zodat hij zich een moment decennia terug in de tijd voelde, als het blozend dienaartje van weleer tijdens de mis. Een gevoel dat nog werd versterkt omdat het onzichtbare koor aanzwol in een massaal *Totus Tuum*, maar dat plotseling werd onderbroken door een hoog, hees en tamelijk venijnig lachje. Waarop de Schaduw in een flits besefte dat 't inderdaad mis was en wanhopig overeind probeerde te komen. Het lachje klonk opnieuw toen hij machteloos terugzonk en de speldenknopjes uit elkaar zag spatten in een baaierd van licht vóór 't allemaal pikzwart werd in zijn brein.

15

'Hij komt bij,' kraakte een stem in het ruisende en kloppende hoofd van de Schaduw. Waarna er tamelijk onzacht in de neus van dat hoofd werd geknepen, zodat hij 't snuivend heen en weer schudde en 't hoge, hese lachje weer tot hem doordrong.

Verdwaasd staarde hij in twee ronde brillenglazen, waarachter twee omrimpelde helblauwe oogjes boven een haakneus hem spottend opnamen. Links van de haakneus schitterde een grillige paarse vlek en eronder bewogen twee dorre lippen onder een zilverwit snorretje, als de sluitspieren van een allang niet meer verse oester. Een nagenoeg kale en oeroude oester in coltrui, maar veel meer zag de Schaduw niet want 't was schemerduister op een mat brandende lamp na. Al was de aanblik van de haakneuzerige, bewijnvlekte oester meer dan voldoende om alle lampen in 't eveneens verduisterde Schaduwiaanse brein op te laten lichten. En hoe lang, of hoe kort, was 't brein verdoofd geweest?

''t Genoegen is geheel aan onze kant,' kraakte de oester. 'De naam is Zagwijn, Zibbedeus Zagwijn. En in tegenstelling tot de reverend Popwobble, Schwoppeke Uijenkruijer en de Schaduw is dat geen alias.'

'Vreemd,' zei de Schaduw, die voelde hoe droog zijn mond en keel waren. En ook dat zijn handen aan de stoelleuning achter zijn rug waren geboeid. Benevens zijn voeten aan de poten van die stoel.

'Want je zou toch denken dat 't wel zo was, wat? En je kunt 't laten veranderen bij de Burgerlijke Stand, weet je.'

De sluitspieren glimlachten, maar de oogjes allerminst.

'U schijnt niet te beseffen in welke positie u zich bevindt.'

'Laat me raden,' zei de Schaduw, 'ik vermoed Zijnsoriëntatie, al gaat 't wel weer. Maar 't Loslaten van het Ik zou ook kunnen. En aangezien jij dus kennelijk weet wie ik ben, en als ik jou was, wat de hemel overigens moge verhoeden, dan zou ik Ik ook letterlijk Loslaten, al was 't maar omdat je anders zo vast komt te zitten, wat.'

Onder het hese lachje meende de Schaduw nóg iemand spottend te horen lachen. Bovendien geurde het naar brandende tabak. En hoe wist de oester dat híj de Schaduw was? Lotje? Maar wist Lotje dat dan? Mariska? Want Mariska wist 't wél, en ook van de reverend Popwobble! Had ze zich mogelijk versproken?

'En waarom zouden we?' zei Zagwijn. 'Er is ons immers geen cliënt met de naam Carlier bekend. Slechts een zekere reverend Popwobble, die onverwacht zijn behandeling wegens ons onbekende redenen afbrak en vervolgens verdween. Naar wij aannamen naar zijn parochie in St. Columb Major. Waar de reverend betreurenswaardig genoeg natuurlijk nooit aankwam. En aangezien de eerwaarde reverend hier drie dagen zou verblijven, zullen zijn vrienden bij de Sûreté pas dán gaan zoeken en 'm natuurlijk niet vinden, als u begrijpt wat ik bedoel. Wilt u overigens iets drinken?'

'Graag,' zei de Schaduw, die 't donders goed begreep, 'mits 't geen Zagwijns Levenswater is, want op de een of andere manier valt 't verkeerd. Dus als 't kan dat andere Levenswater, Schots en geel en zonder ijs.'

Zagwijn knikte. 'Schenk monsieur Carlier eens in, wil je, liefje.'

Waarop de Schaduw even een glimp van 't liefje opving, een glimp glanzende saucijsjes en kleurige kralen.

'Maar 't zou natuurlijk ook anders kunnen,' kraakte Zagwijn vergenoegd, 'namelijk dat cliënt Popwobble alias Carlier ons meedeelt wat er in een envelop zit die hij wederrechtelijk onder het valse voorwendsel Schwoppeke Uijenkruier te zijn van notaris Bavarde in Ste. Angélique ontving. In dat geval zal cliënt Popwobble alias Carlier vrij zijn te gaan en staan waar hij wil, begrijp je?'

'En jij denkt,' zei de Schaduw, 'dat cliënt eigenlijk Gekke Gerritje heet die op zijn beurt denkt dat jij het daarbij zal laten.'

'O ja,' knikte Zagwijn. ''k Vergat namelijk nog te zeggen dat cliënt, alvorens vrij te gaan en te staan, een exclusieve behandeling zal ondergaan die men tevergeefs in onze brochure zal zoeken, en die niets met de harmonieuze ontwikkeling van de geest van doen heeft, maar integendeel alles met een disharmonieuze. Kort gezegd komt 't neer op een injectie met een op zich onschadelijk gecodeerd chipje in de hersenschors, dat op afstand geactiveerd tot schizofrenie en paranoia leidt. En overigens ook anderszins fataal is, te weten wanneer het wordt verwijderd door iemand die de code niet kent, als u begrijpt wat ik bedoel.'

'Je vraagt wel een hóóp begrip,' zei de Schaduw, die voelde hoe Lumina de rechterhandboei ontsloot en hem het glas goudgeel vocht aanreikte. En 't was een meer dan voortreffelijke malt, concludeerde de Schaduw. Hij bedacht dat Zagwijn 't mogelijk verzon, van die chip, maar mogelijk ook niet, want hij hándelde immers in schizofrenie en paranoia, al heette het dan anders. En tevens vond hij dat 't een allerbelabberdste situatie was, die om een sigaar vroeg. Die er niet was, maar wel een Gauloise van Lumina.

''t Zou je laatste weleens kunnen zijn,' zei ze terwijl ze hem vuur gaf.

'Mooi,' zei de Schaduw, 'want ik heb 't al zo vaak geprobeerd, weet je.' En merkte toen pas dat 't snorretje er niet meer zat. Evenmin als het baardje. Hij blies een wolkje rook uit terwijl het brein weer op volle toeren maalde. En registreerde dat er een druppel aan de haakneus hing.

'Je moet je voorgevel eens snuiten,' zei de Schaduw, ''t is namelijk geen gezicht voor een vent in zalfjes en smeerseltjes. En je hébt van die mooie zakdoeken, toch? Want een van die vrienden van me belde zo-even dat 'ie er een had gevonden, op de achterbank van een donkerblauwe Peugeot, met de geborduurde letters ZZ erop. Op die zakdoek bedoel ik. En volgens die vriend rook 'ie naar ether, dus indachtig "Aetherus"... En is er soms wat?'

Want de helblauwe oogjes staarden hem geschrokken aan.

'Je liegt!'

'Alleen tijdens de biecht,' glimlachte de Schaduw, 'maar da's lang geleden. Als ik het me goed herinner ergens voorjaar 1963, in het plaatsje Sainte Chatelaine bij een zekere père Saurel. Bekend?'

De helblauwe oogjes knepen zich samen tot spleetjes. 'Staat dat in de memoires van Paddeke?'

'Geen idee,' zei de Schaduw, 'want ik heb die niet. En 't doet me deugd, Zibbedeus, dat jij ze kennelijk ook niet hebt, want ik moet je bekennen een tijdje te hebben gedacht dat je lieftallige dochter hier samen met een zekere Isodorus Paddekes neef Schwoppeke vermoordde.'

Het was enkele seconden doodstil waarin Zagwijn en Lumina elkaar verbijsterd aankeken.

'Werd Schwoppeke Uijenkruijer vermoord?' vroeg Zagwijn toen zachtjes.

Ja, knikte de Schaduw en hij nam een teugje. Dus ze wisten dat niet. Dus had Lotje hun dat niet verteld. Waarom was ze hier dan net geweest? 'Een paar nachten geleden. In zijn hotel in Parijs. Met een dolk van 't voormalige korps Schuim & Schoelje, als jij nu eens begrijpt wat ík bedoel.'

'Huh?' zei Zagwijn.

'SS,' zei de Schaduw. 'Je weet wel, Adolf en zo. En de memoires waren foetsie.'

En weer was het even stil.

'Maar wie deed 't dan?' vroeg Lumina. En de Schaduw nam opnieuw een teugje en begreep eens temeer dat het duo tegenover hem dus ook niets wist van dat andere duo, geheten Gratia en Zombo.

'Naar wij vermoeden,' zei hij, 'in opdracht van een zekere Marie Dubois alias Poupette la Tulipe.' Hij inhaleerde en zag in de vier blauwe ogen dat die naam een klok deed luiden. Alhoewel 't ook duidelijk was dat de klepel zoek was. 'Eerder madame Uijenkruijer, nu weduwe van een zekere Von Schweinfürstendum, maar ooit bedgenote van Freiherr Bolo von Schmalensee.'

Waarop de klepel sloeg. En hard ook.

'Bekend?' vroeg de Schaduw desondanks.

'Von Schmalensee is allang dood,' zei Zagwijn schor en zonder te merken dat de druppel viel.

'O ja,' zei de Schaduw, 'maar Schwoppeke dus ook, zie je. Vanwege de memoires van Paddeke. En naar ik denk te weten vermoord door Poupettes stiefdochter en haar chauffeur, een zekere Zombo. De laatste is overigens een biologisch raadsel, want de eerste geslaagde kruising tussen mens en aap. En 't ligt voor de hand dat Poupette nog steeds achter de schat aanzit en daarom ook Paddeke liet vermoorden. Omdat Paddeke hem had.'

'De schat?' zei Zagwijn stomverbaasd. 'Dus jij denkt dat...'

'Papa!'

Waarop de Schaduw zelf nog veel stommer verbaasd was, maar haastig opnieuw een teugje nam om 't niet te laten merken. Wat had Zibbedeus willen zeggen? Had Paddeke de schat dan niet gehad?

'Paddeke Uijenkruijer,' vervolgde hij, 'was ooit de echtgenoot van Poupette, tot hij August vond, die ook jou bekend is want je wás er immers, toen en daar in Sainte Chatelaine. En vervolgens trok Paddeke zich als Padde Le Veilleur met een zekere Geertje terug, en ríjk ook.'

'Natuurlijk,' zei Zagwijn, 'hij heeft immers de nacht...'

'Papa!' snauwde Lumina weer.

Ze glimlachte naar de Schaduw, al had hij weleens een warmere glimlach gezien. 'U vertelt heel boeiend, monsieur.'

'Liever boeiend dan geboeid,' zei de Schaduw en vroeg zich af wat Zagwijn had willen zeggen. De nacht... De nacht dat madame Mimi hem August van de toren had zien duwen?

'Dus daarom kon jij je voor Schwoppeke uitgeven bij die notaris,' zei Lumina nadenkend. 'Omdat hij dood was.'

'En hoe wist je dat ik 't was?' vroeg de Schaduw.

'Omdat,' zei ze spottend, 'Isodorus je al eerder zag en jij niet zag dat hij je zag. Namelijk door 't raam van Le Cheval Blanc. Je zult 't je vast herinneren. Je stapte uit een dure, nogal opvallende Bentley en verdween een flatgebouw in. Isodorus vond 't nogal toevallig, weet je, de beroemde Schaduw uitgerekend daar.'

De Schaduw zweeg en bedacht dat ze hem dus al sinds hij uit Parijs naar Deo Volente was gegaan, hadden laten volgen. Door de paradijsvogel, al dan niet met Pierlala in het zijspan?

'En was,' zei hij, 'Isodorus misschien benauwd dat ik me af zou vragen of hij wel netjes afgerekend had in 't Staatshotel te Saint Quentin? Waar ik overigens een zekere lullo alias prefect sprak die huilend bekende op de kiek te zijn gezet, en niet zijn aura, want 't was tijdens een allerminst spirituele massage van een zekere grootmeesteres in een appartement in de Rue Marboeuf.'

De ijsogen werden spleetjes. 'Dus dat weet je ook!'

'Je moet eens weten,' zei de Schaduw, ''t was namelijk een appartement waar niet veel later een zekere markies De Cantaloupe vanuit dat Le Cheval Blanc in een donkerblauwe Peugeot naartoe werd gebracht. Verdoofd door de beëtherde zakdoek van Zibbedeus hier.

137

Om vervolgens met een nekschot in het Bois de Boulogne te worden gedumpt. Moord dus, begrijp je, en ik betreur 't nog dagelijks dat het scheermes van een zekere Guillotin staat te roesten, maar misschien is 't maar beter ook want twintig jaar in de...'

'Dat deed Kodde Beyer!' kraakte Zagwijn.

'Ah,' zei de Schaduw, 'vriend Polyphemus die de Peugeot had gepikt en een agent op zijn test sloeg. En als ik vragen mag, waarom De Cantaloupe? Want ik vermoed toch niet dat Isodoor werkelijk een ijslandschapje te koop had, wel? Zelfs geen vervalste.'

'Omdat...' zei Zagwijn, maar zweeg weer onder de woedende blik van Lumina.

'Laat me raden,' zei de Schaduw, 'je wist van de schat die Paddeke had. Maar je wist niet waar Paddeke was, zoals niemand dat wist. Eerst echter dacht je dat August hem had, wat ook zo was, en die vond je wél, te weten in de nacht van de 4e april 1963 in Sainte Chatelaine, waar je hem van de toren van zijn kathedraal afgooide.'

''t Was een ongeluk!' zei Zagwijn, 'hij gleed uit! Dacht je nou echt dat ik hem toen zou vermoorden? Ja, later! De schoft! Ik weet niet of je weet wat er daar in Dachau...'

Hij zweeg weer.

En de Schaduw ook. Hij zag de foto weer voor zich waarop Von Schmalensee en Bonnermann stonden, en Paddeke met Geertje en en August.

'Jij was erbij!' zei hij, tastte met zijn vrije hand naar zijn binnenzak, haalde de foto tevoorschijn en hield hem op in het matte licht. 'Jij hoorde bij Paddeke en August, die van plan waren om Von Schmalensee en Bonnermann te beroven!'

'August!' siste Zagwijn, 'de smeerlap die ons beschuldigde hem gestolen te hebben!'

'Papa!' zei Lumina weer waarschuwend, maar Zagwijn schudde zijn hoofd zodat er weer een druppel viel.

'Wat maakt 't uit, liefje? Hij zal 't sowieso nooit na kunnen vertellen! En ja. Ik was er toen. Ik maakte de foto. Hoe kom je eraan?'

'Ik vond hem bij Schwoppeke,' zei de Schaduw, 'hij had hem van Geertjes kleindochter gekregen. Lotje. Charlotte Dirckx.'

De omrimpelde oogjes priemden in de zijne. 'En hoe ken je háár?'

'Van Schwoppeke,' zei de Schaduw, 'ze had namelijk een afspraak met hem. En als ik de vraag mag retourneren, hoe ken jij haar dan? En waarom zocht ze August en Paddeke? Vanwege de schat?'

En hij fronste omdat Zagwijn weer even naar Lumina grinnikte en Lumina glimlachte. Want wat was er zo amusant?

'Lotje,' zei Zagwijn, 'kwam onlangs uit Australië naar Nederland, waar haar overgrootvader woonde.'

'Dirckx,' zei de Schaduw, 'de man met de hoed op de foto. Johannes Dirckx in 's-Heerendal.'

Ja, knikte Zagwijn. Waar het seminarie stond waar August en hij, Zibbedeus, de priesteropleiding tijdens de oorlog hadden gevolgd.

'Ah,' zei de Schaduw, 'en de oude Dirckx? En Geertje?'

Geertje was zijn dochter, zei Zagwijn, en verliefd op Paddeke die daar in een bar werkte.

En, vroeg de Schaduw, had Paddeke geweten dat Geertje zwanger was? En van hem, Paddeke?

Nee, zei Zagwijn, want August had hemzelf en Paddeke al verraden aan Von Schmalensee, die hen op transport naar Dachau had gezet.

'En toen August er met haar vandoor ging had ze haar kind bij haar vader achtergelaten?'

'Ja. Een zoontje,' zei Zagwijn. 'Maar toen ik voorjaar 1945 uit Dachau terugkwam, was de oude Dirckx met dat jongetje naar Australië.'

'O?' zei de Schaduw verrast. Dus ook Dirckx was naar Australië gegaan.

'Uit verdriet,' zei Zagwijn. 'Eerder al had hij in Amsterdam zijn vrouw verloren en hij meende ook dat Geertje niet meer in leven was. Maar nadat zijn zoon daar omkwam, keerde hij terug naar 's-Heerendal.'

'In Amsterdam?' zei de Schaduw, 'Waarom was hij dan tijdens de oorlog in 's-Heerendal?'

De omrimpelde oogjes namen hem spottend op. 'Je weet het echt niet, hè?'

'Nee,' zei de Schaduw. 'Wát?'

'De beroemde Schaduw wéét 't niet!' kraakte Zagwijn, 'hoe vind je 'm, liefje!'

'Weet Lotje het wel?' vroeg de Schaduw.

'Papa!' siste Lumina, 'ik denk dat het tijd is.'

'Want ze was hier net,' zei de Schaduw.

'Wás?' zei Zagwijn verbijsterd. En ook het ijs in Lumina's ogen schitterde.

'In een rood Dafje. Maar ze reed weer weg, omdat ze mij zag. Ze denkt namelijk dat ik Schwoppeke vermoordde. En wie weet ook De Cantaloupe.'

En Zagwijn vloekte, waarna het weer even stil was. En de Schaduw opnieuw een sigaret vroeg. De allerlaatste, om 't definitief af te leren. En diep inhaleerde. Zagwijn had Lotje dus verwacht!

'Hoe ken je haar dan, als ze in Australië zat?'

'Omdat ze vorige maand terugkwam en me opzocht,' zei Zagwijn, 'omdat ze hoopte dat ik zou weten waar haar opa Paddeke was. Ze had namelijk bij haar overgrootvader Dirckx mijn naam gevonden.'

'Aha,' zei de Schaduw.

'Maar ook bankrekeningen,' zei Zagwijn, 'waarop een zekere Pad-de Le Veilleur regelmatig geld aan hem overmaakte. En wel van de Banque de Cantaloupe. En omdat ze in Dirckx' paperassen had ge-zien dat hij vroeger schilderijen aan De Cantaloupe verkocht, had ze De Cantaloupe gebeld en gevraagd of hij soms wist wie en waar die Le Veilleur was.'

De Schaduw knikte en rookte. Dus de oude Dirckx was *der Tritte im Bunde* geweest, im Bunde van vervalste schilderijen. Dirckx, Iso-dorus, De Cantaloupe. En vandaar dat Isodoor toen was aangehou-den in 's-Heerendal. Maar waarom had Paddeke dan regelmatig geld aan Dirckx overgemaakt? Lotje had dus gehoopt dat De Canta-loupe wist waar Paddeke uithing.

'En wist De Cantaloupe waar Paddeke was?'

'Nee, maar wel dat hij een postbus in Ste. Angélique had.'

De Schaduw knikte. 'En daarom maakte Isodoor die afspraak net eerder met De Cantaloupe dan Lotje met hem had. En waarom stapte De Cantaloupe dan in de Peugeot?'

'Omdat ik hem belde,' zei Zagwijn. 'Omdat ik zei dat Lotje bij me in de auto zat en hem nu meteen wilde spreken over Paddeke.'

De Schaduw begreep het. 'En toen De Cantaloupe niet wist waar Paddeke was, liet je de eenogige Kodde Beyer hem afmaken.'

'Genoeg!' zei Lumina. 'Volgens Amadée gaf notaris Bavarde je een envelop.'

'Ah,' zei de Schaduw, 'Pierlala! Altijd handig, nietwaar, die oren als een opengetrapte deur. Vooral als je ze tegen een díchte deur houdt om af te luisteren. Maar ik heb hem niet, weet je, die envelop.'

'Je liegt!' zei Lumina.

'Nee,' loog de Schaduw, 'en ik heb je net al uitgelegd waarom niet. En ik zei "heb niet", onvoltooid tegenwoordige tijd, want in de onvoltooid verleden tijd was 't wél zo, maar hij werd me ontstolen. En wel door Poupettes chauffeur Zombo. En als je 't niet gelooft, schat, bel dan mijn vriend Bruno Silvère bij de Sûreté die 't zal bevestigen, want ik meldde 't hem zo-even. Evenals dat ik hier op zoek ben naar mijn Zijn, dus je begrijpt...'

'Haal Kodde!' zei Zagwijn schor. 'Dan zullen we eens zien wie 't kan bevestigen!'

Lumina was al overeind en verdween in 't duister. Waar ergens een deur scharnierde, dan licht kierde en weer verdween.

En de Schaduw besefte dat de situatie nog steeds allerbelabberdst was, en weemoedig dacht hij aan de alpinopet en het koffertje onder de Rolls.

'Ben je eigenlijk ooit op Zanzibar geweest?' vroeg hij, 'want ik hoorde dat 't daar aangenaam toeven is, weet je.'

'Huh?' zei Zagwijn. 'Zei je Zanzibar?'

'Een eiland,' zei de Schaduw, 'tropisch en nog onbedorven. Dus 't verbaasde me niks dat Paddeke daar een huisje had.'

'Een huisje?'

'Of huis. Wie weet een villa of landgoed, want Paddeke zaliger had per slot geld. En veel ook.'

Een seconde staarden de helblauwe oogjes hem verbluft aan, en wel zó dat de Schaduw meende dat Zagwijn wist waar hij het over had. Maar dan scharnierde de deur weer, waarvan het gat werd gevuld door een kolossaal silhouet dat de Schaduw deed denken aan een prent uit zijn jeugd, een onprettige prent waarop de Minotaurus in het Kretenzische labyrint op de doodsbange Ariadne toe sjokte.

Maar in tegenstelling tot die mythe was er hier geen Theseus die 't zwaard ophief om de stiermens te vellen, integendeel, het schaarse licht flonkerde juist op het metaal in de hand van de kolos, wat de Schaduw aan een te groot uitgevallen sabel of houwdegen deed denken. En verder flonkerde er in het kolossale hoofd van het silhouet één oog dat de Schaduw kwaadaardig aanstaarde.

'Meneer Beyer,' gniffelde Zagwijn, 'begon al jong in de slachterij van zijn vader.'

'Ach,' zei de Schaduw luchtig hoewel hij 't toch enigszins benauwd kreeg. 'Je moet wát, nietwaar, als 't niet meezit op school. En waar is 't fout gegaan? Dronk vader te veel? Gaf moeder geen aandacht? Geen vriendjes of vriendinnetjes? Of juist de verkeerde? 't Hoeft niet te laat te zijn, want je kunt altijd nog rebirthen of zo...'

'Kop,' grauwde de kolos, 'dichtwantandersbenjemkwijtsnapje!'

'Nogal onverstandig,' glimlachte de Schaduw, 'want 't praat zo lastig, lijkt je niet, tenzij als de kip zonder. En dát 'k praat was toch de bedoeling, niet?'

'Zo is 't,' kraakte Zagwijn. 'Dus zou ik dat nu ook maar doen als ik jou was. In Paddekes testament staat dat zijn neef Schwoppeke een envelop zou krijgen wanneer Lotje niet zou verschijnen. En aangezien jij Schwoppeke was, heb jij die envelop...'

'Ik zei je al,' zei de Schaduw, 'dat die Zombo...'

Maar zweeg geschrokken, want kennelijk had Zagwijn een teken gegeven, omdat het flonkerend metaal zoevend op nog geen centimeter van zijn hoofd suisde.

'Wat zat erin?' kraakte Zagwijn.

En de Schaduw hoorde met 't suizende oor ergens in 't donker het knijpende lachje van Pierlala.

'Dat,' zei hij, 'kun je beter aan Isodorus vragen.'

'Huh?' zei Zagwijn.

'Ja,' zei de Schaduw, 'want je liet me zojuist niet uitpraten toen ik zei dat die Zombo de envelop had gestolen. En wel in "De Parel van Sainte Angélique", waar ik logeerde. Hij glimlachte. 'En heb je je wel afgevraagd, beste Zib, waarom Isodorus daar nog niet zo lang geleden in diezelfde "Parel" logeerde?'

'Huh?' zei Zagwijn weer.

'Want dat dééd ie,' zei de Schaduw.

'Omdat,' zei Lumina ergens in het donker, 'hij naar mij in Parijs onderweg was en honger had en de eigenaar van die Parel een oude vriend van hem is.'

'Jawel,' loog de Schaduw, 'maar die eigenaar, een zekere Hippolyte, die vooral een oude vriend van míj is, vertelde me dat Isodorus daar een afspraak had. En wel met Zombo. En Zombo, ik zei het al, is de chauffeur van Poupette. En je zei zelf dat Dirckx vroeger met Isodorus samenwerkte. En Dirckx kende Von Schmalensee want ze staan samen op de foto. En dus, beste Zib, lijkt het erop dat vriend Isodorus je aardig bij de neus heeft gevat. Wat gezien het formaat ervan niet al te moeilijk moet zijn geweest.'

'Hij liegt!' schreeuwde Lumina. 'Begrijp je 't niet?'

'Jij niet,' zei de Schaduw, en nam de gok. 'Want als jullie allemaal hier zijn, waar is Isodorus dan als 'k vragen mag?'

Even was 't heel stil.

Toen snauwde Lumina: 'Kodde, hak hem z'n tenen af ! Eén voor één tot 'ie zegt waar de envelop is, en zo niet dan...'

Waarop een diepe zucht klonk. En dan een bons. En Pierlala een schreeuw gaf die gesmoord werd in een niet eens zo daverend schot. En Kodde het flonkerend metaal achterwaarts zwaaide, maar halverwege leek te bevriezen bij het volgende schot en 't ene flonkerende oog plotseling in een zwart gat verdween. Waarop de kolos rochelend in elkaar zeeg terwijl Zagwijn overeind kwam en krakend om hulp riep. En naar 't zwaard greep. Waarna er iets anders kraakte en de helblauwe oogjes begonnen te draaien.

'Lastig als je niet lekker bent,' zei de Schaduw verwonderd. 'En wat...'

Waarna er opnieuw iets kraakte, er vervolgens een rochelende zucht aan de sluitspieren ontsnapte en Zagwijn op de grond gleed. En de Schaduw een silhouet op zich af zag komen, een silhouet met onmiskenbaar vrouwelijke rondingen en bovendien met een geheven hand die een glanzend pistool bij de geluiddemper vasthield.

'Lekker als je niet lastig bent,' zei Mariska Kowalski, die rammelend met de boeiensleuteltjes in het licht verscheen. 'En laten we hier als de bliksem verdwijnen, want je zult 't niet geloven, Schaduw, wie hier nog meer rondloopt!'

16

'Zeg 't nog eens!' zei de Schaduw, die 't ondanks de loeiende wind wel degelijk had gehoord maar zijn oren onder de alpinopet niet kon geloven.

'Marie Dubois,' zei Mariska, 'Alias Poupette la Tulipe. Je zult je haar vast herinneren van Le Canard Jaune op Pigalle.'

Ja, knikte de Schaduw verbluft terwijl hij de MG omzichtig over het weggetje stuurde, want 't was donker en het weggetje was niet veel meer dan een greppel die zich tussen dichte bebossing door slingerde. Bovendien had hij geen idee waar hij was, afgezien dat het de Ardennen waren waar ze een kwartier geleden bij het kerkhof van Ollimont uit Mariska's Citroën in de MG waren overgestapt.

'Weet je 't zeker?'

En of, knikte Mariska. 'Ik herkende haar meteen. Ze is nauwelijks veranderd in al die jaren.'

Dat, dacht de Schaduw, gold evenzeer Mariska, op wie de jaren inderdaad geen vat schenen te hebben. Evenmin trouwens op haar koelbloedigheid. Mariska, die Polyphemus dood-, en Pierlala ááan had geschoten, benevens vader en dochter Zagwijn in een hopelijk langdurige slaap had geknuppeld. De vier lagen toepasselijk in het Dormitorium, de laatste drie geboeid en gekneveld. De Schaduw had vervolgens dolgraag naar het testament willen zoeken, maar het risico toch niet genomen. Want waar Poupette was, konden immers ook Gratia en Zombo zijn, al had Mariska die laatste twee niet gezien.

Dankzij klankschalen, geblaas, gekreun, gezucht, gezang en getrommel had niemand in de kliniek iets gemerkt van de schoten en het geschreeuw. Maar toch blikte de Schaduw regelmatig in de spiegel. Want, om 't over nóg iemand te hebben, waar was de paradijsvogel? En waar was vooral Isodorus? Lumina was zichtbaar verward geweest toen 't over Isodoor ging. Twijfelde ze inderdaad aan zijn loyaliteit? Of wist ze werkelijk niet waar hij was? Was Silvère snel geweest met het opsporingsbericht en was Isodorus mogelijk op de vlucht? 't Zou kunnen, maar desondanks had de Schaduw zodra hij 't koffertje onder de Rolls had gepakt, er een van de werpmessen uitgehaald en de vier banden van de Cayenne lek geprikt.

En niet alleen draaide de greppel als een tol, maar tolde 't ook in zijn brein want in het afgelopen uur had hij nauwelijks een woord met Mariska kunnen wisselen.

'Kennen Zibbedeus en Lumina haar?'

''k Heb niet de indruk,' zei Mariska. 'Ze arriveerde gistermiddag en noemde zich Marie Dubois.'

'Wat doet ze dan in 's hemelsnaam op Aetherus?'

'Astrale meditatie. Maar niet heus,' grimlachte Mariska. 'Ik denk dat ze iets van de oude Zagwijn wil.'

'O,' zei de Schaduw, die meende te weten wát, maar 't toch vroeg. 'En wat dan wel?'

'Dat testament waar ze 't over hadden,' zei Mariska. 'En een envelop die daarbij hoort.'

'En wat,' vroeg de Schaduw, 'is de rol van een zekere Mariska Kowalski?'

'Da's een lang verhaal,' zei Mariska Kowalski en stak een sigaret aan.

'Ik,' zei de Schaduw, 'popel.'

'Wé,' zei Mariska, 'want 't is wederzijds, dat popelen, snap je?'

Vanzelf, knikte de Schaduw en blikte weer in de achteruitkijkspiegel, waar 't tot zijn geruststelling inktzwart bleef.

'Poupette,' zei Mariska, 'woont in een kasteeltje in de buurt van Aken.'

'Weduwe van graaf Otto von Schweinfürstendum,' zei de Schaduw, 'en stiefmoeder van diens dochter Gratia.'

'Daar,' glimlachte Mariska, 'vergis je je in, want die Gratia is het kind van haar en Von Schmalensee. Bolo Von Schmalensee was namelijk dezelfde als Otto... En kijk uit!'

En de Schaduw remde uit alle macht, draaide als een gek aan het stuur en ontweek aldus net op tijd een monsterlijk groot wild zwijn dat tussen 't geboomte verdween.

'Sigaar!' hijgde de Schaduw terwijl hij de doos uit de zijzak van zijn colbert viste. 'Want we wáren 't bijna. Zei je dat Von Schmalensee die Otto was?'

'Ja,' zei Mariska. ''t Kwam meer voor zoals je weet, na die verdomde oorlog. Met een béétje geld, een béétje handige plastisch chirurg, een ander paspoort...'

Ja, knikte de Schaduw perplex. Hij bekommerde zich niet om 't ontpunten noch bevochtigen, stak de sigaar aan en trok eraan, en vervolgens óp.

'Al die jaren dat jij en ik naar hem zochten, speelde hij de echte graaf Von Schweinfürstendum,' zei Mariska, 'die zogenaamd uit Russische krijgsgevangenschap was teruggekeerd naar het voorvaderlijk kasteel maar in werkelijkheid door Von Schmalensee was omgebracht.'

'En is 'ie nu wel dood?' vroeg de Schaduw. 'Bolo?'

'Ja. Jaren geleden. Hij had altijd contact gehouden met Poupette, maar trouwde pas in 1963 met haar.'

'Zo,' zei de Schaduw terwijl hij slalomde tussen de dennenbomen.

'Want ze was eerder getrouwd met een Nederlander. Een barkeeper die ze in Le Canard Jaune had ontmoet.'

'Paddeke,' zei de Schaduw, 'Paddeke Uijenkruijer die juist in dat jaar 1963 bij haar wegliep.'

'Ja!' zei Mariska verrast, 'en hoe weet jij dat?'

'Geduld,' zei de Schaduw. 'En was 't niet zo dat die Paddeke uitgerekend door Von Schmalensee in Dachau was beland?'

Ja, knikte Mariska. 'Daarom juist had Paddeke Poupette willen ontmoeten, want hij zocht Von Schmalensee, net als wij.'

'O!' zei de Schaduw verrast. 'Dus Paddeke wist dat ze zijn minnares was geweest?'

'O ja. Poupette had namelijk gezegd dat Von Schmalensee haar gedwongen had, zie je, en dat ze hem net zo hard haatte als Paddeke dat deed. En nou ja, je weet het, ze kón overtuigend zijn.'

Nou, beaamde de Schaduw. Vooral als tulp in de herfst. En hoe wist zij, Mariska, dit allemaal?

'Omdat,' zei Mariska, 'ik onlangs hoorde dat die Paddeke samen met een paar anderen in de oorlog Von Schmalensee had willen beroven.'

'En van wíé hoorde je dat dan?' vroeg de Schaduw.

'Van een jonge vrouw,' zei Mariska. 'Een Nederlandse die me vorige maand belde om informatie.'

'Lotje Dirckx,' zei de Schaduw en hij hoorde hoe ze verrast haar adem naar binnen zoog.

'Ken je haar dan?' vroeg Mariska verbaasd.

'Vaag,' zei de Schaduw.

En hij zág Lotje in 't parelgrijze mantelpakje weer in 't rode Dafje verdwijnen.

'Schaduw,' zei Mariska, 'ik geloof er geen donder van! Want ze belde me nog geen uur ge...'

En alsof 't zo moest zijn, flitste een dubbelgevorkte bliksem door 't duister, gevolgd door de krakende klap van de donder zodat ze hem even in paniek vastgreep.

'En dat was een bord,' zei de Schaduw. 'En als ik 't goed zag, is 't rechtdoor nog tien kilometer naar La Roche, waar ik een alleraardigst hotelletje ken en waar met enige overtuigingskracht en wat meer bankbiljetten mogelijk nog een maaltijd op tafel kan komen, want we hebben honger en dorst. En zei je niet dat die Lotje je nog geen uur geleden belde?'

'Ja. En overstuur. Want ze zei dat ze net op Aetherus de moordenaar van haar oudoom had gezien.'

'Schwoppeke,' zei de Schaduw. 'Schwoppeke Uijenkruijer, de neef van Paddeke.'

'Ja. Ze zei dat je dezelfde man was die ze eerder bij zijn kamer in het Bellevue had gezien, en toen ze je beschreef... nou ja, ik had je per slot net tot mijn stomme verbazing als de reverend Percy Popwobble bij Lumina gezien!'

De Schaduw glimlachte. 'En waarom had Lotje jou toen gebeld?'

'Omdat ze net uit Australië in Nederland was. In 's-Heerendal, waar haar overgrootvader nog woonde.'

'De oude Dirkcx,' zei de Schaduw, 'Johannes Dirckx. En voor je weer gaat vragen hoe ik dat weet...'

En Mariska zuchtte en peuterde een verse sigaret tevoorschijn.

'Ze had hem sinds haar vroege jeugd niet meer gezien of gesproken. Hij was namelijk met haar vader, die toen nog een baby was, direct na de oorlog naar Australië geëmigreerd.'

'Zijn kleinzoon Johannes,' zei de Schaduw, 'zoontje van zijn dochter Geertje van wie hij dacht dat ze was omgekomen.'

'Je weet véél, Schaduw,' zei Mariska en ze stak de sigaret aan.

'Ach,' zei de Schaduw, 'nooit genoeg en lang niet alles. Bijvoorbeeld niet of 't ook Paddekes zoontje was.'

'O ja. Al wist Paddeke dat heel lang niet. De oude Dirckx voedde Johannes daar in Australië op.'

'Dus Dirkx wist 't ook niet?'

'Nee, pas later. Daarom noemde hij de jongen naar zichzelf, Dirckx. De jonge Johannes trouwde in Australië met een Schotse. Lotje werd daar in 1983 geboren, maar een jaar later scheidden haar ouders en werd ze toegewezen aan de moeder.' Mariska blikte opzij. 'Dat weet je ook?'

'Gedeeltelijk,' zei de Schaduw en hij vroeg zich af hoe zíj dit allemaal wist. Van Lotje? In elk geval wist Lotje dus dat Paddeke haar grootvader was geweest.

'Kort daarna,' vervolgde Mariska, 'kwam Johannes bij een ongeluk om het leven. Die Schotse was zo wraakzuchtig dat ze 't contact tussen de oude Dirckx en de kleine Lotje verbood.'

'Ach,' zei de Schaduw. 'Schotten! De grote Oscar Wilde zei het al: "Je kunt veel doen doen met een Schot mits je hem jong vangt."'

En hij dacht even aan die andere, zo lieftallige en jonge Schotse die hem, terwijl hij inderhaast in Aetherus zijn boeltje had gepakt, had gebeld. En de ondertoon in haar zoetgevooisde stem was hóórbaar verwijtend geweest. 'Darling, waar bén je?'

Wat, dacht de Schaduw terwijl hij weer in de inktzwarte achteruitkijkspiegel blikte, hij zelf ook graag zou willen weten. In De Parel bij Hippolyte, had hij gezegd, omdat Parijs stoffig en hectisch was zodat hij er even tussenuit had gewild. En ging 't goed daar met Madeleine? Maar juist toen ze dat had bevestigd, sloeg ergens buiten Aetherus de bliksem in en was de verbinding verbroken.

'Midden jaren tachtig keerde de oude Dirkcx uit verdriet terug,' zei Mariska.

'Naar 's-Heerendal,' zei de Schaduw.

'Ja. Maar toen Lotje daar vorige maand kwam, bleek hij te zijn overleden. Tot haar grote verdriet, maar anderzijds, hij was honderdenéén. Zij was zijn enige erfgename.'

'Ja,' zei de Schaduw, 'Zagwijn vertelde 't. En ook dat hij in tamelijk kommervolle omstandigheden had geleefd, maar dat er plotseling regelmatig geld naar hem werd overgemaakt. En wel door ene Padde Le Veilleur die in werkelijkheid onze Paddeke was.'

Ze knikte. 'Dat zei Lotje ook. Maar hoe wist jij dan van Zagwijn?'

'Dat,' zei de Schaduw en zigzagde een sneeuwloze zwarte piste af, 'is een nog langer verhaal, waar ik je graag kond van doe onder 't genot van een goed glas. Je zei dat Lotje jouw naam in de paperassen van de oude Dirckx tegenkwam?'

En opnieuw galmde de donder. En zuchtte Mariska.

'In brieven,' zei ze, 'die hij al die jaren aan haar, zijn enige achterkleinkind had geschreven. Een stokoude man die dacht dat zijn dochter Geertje in de oorlog gedood was en niet wist waar zijn geliefde achterkleinkind was.'

De Schaduw knikte en dacht even aan zijn eigen peilloze verdriet en eenzaamheid nadat zijn vrouw Lola en zoontje Charles door moordenaarshand waren omgebracht, die inktzwarte periode die door zijn biograaf 'Het Gesloten Boek' was genoemd. En daarom nooit was geopend.

'Maar later,' zei ze, 'kwam hij erachter dat Geertje nog in leven was en met Paddeke was gehuwd.'

'En waarom stond jouw naam dan in die brieven?'

'Omdat ik hem een keer had bezocht,' zei ze, 'juist vanwege Von Schmalensee. Maar Dirckx wist ook niet waar hij was gebleven.'

'Weet je dan wel waarom hij in de oorlog naar 's-Heerendal ging?'

'O ja,' zei ze, 'Von Schmalensee was daar na Parijs naartoe overgeplaatst vanwege de geallieerde invasie. Hij had gewild dat Dirckx zijn portret schilderde.'

'O?' zei de Schaduw verrast. 'Schilderde Dirckx?'

'En goed ook,' zei Mariska. 'Daarom had ik van hem gehoord, zie je. Want je weet dat mijn vader 't ook deed.'

Ze zweeg en de Schaduw begreep waarom. Von Schmalensee opnieuw. Von Schmalensee die haar vader had laten fusilleren.

'Dus daarom kwam Dirkcx met Geertje naar 's-Heerendal,' zei hij, 'om de Freiherr te portretteren.'

'Ja. Je weet dat veel nazi's dat deden, voor thuis.'

De Schaduw zweeg en smookte de sigaar en dacht aan Isodorus, ooit daar in 's-Heerendal, en aan De Cantaloupe. Dus had Dirckx de vervalsingen gemaakt.

'Lotje las in die brieven dat Von Schmalensee toen samen met Bonnermann ergens bij 's-Heerendal een schat zou hebben verborgen. En dat Paddeke en een zekere August en Zagwijn ermee vandoor hadden gewild, maar dat August hen had verraden.'

De Schaduw zag dat 't begon te regenen en schakelde de ruitenwissers in. Hij verlangde hevig naar een warm bad en vooral warm eten.

'Enfin,' zei Mariska, 'tussen die brieven van Dirckx zat ook een foto waarop ze allemaal stonden, ook Bonnermann en Von Schmalensee. En daarom belde ze me.'

'Inclusief Zagwijn,' zei de Schaduw, die tot zijn opluchting in het licht van de bliksem een smalle autoweg zag opdoemen. En het bord LA ROCHE 1.

'Ja,' zei Mariska. 'Want ze hoopte dat Zagwijn wist waar haar grootvader Paddeke was.'

'En niet haar grootmoeder Geertje?' vroeg de Schaduw. 'Wist ze dan dat zij dood was?'

'Ja, want dat had Dirckx ook geschreven.'

'Zo,' zei de Schaduw. 'Merkwaardig, om niet te zeggen hóógst...'

'En Schaduw, zou je d'r niet eens een dialoog van maken? Want 't wordt anders zo eentonig, weet je. Om niet te zeggen eenzijdig.'

Zo is 't, glimlachte de Schaduw. En dan graag een platonische, te weten vraag en antwoord. En niet dat hij zich ook maar in de verste verte met een zekere Socrates wilde meten, maar toch... 'En waarom ging jij dan naar Zagwijn?'

'Lotje had zijn naam in de brieven aangetroffen en met hem gebeld, want hij was makkelijk te vinden. Geen wonder, want hij is per slot bekend vanwege Aetherus. Maar omdat Lotje naar Parijs moest waar ze een afspraak had met de neef van Paddeke, bood ik aan met Zagwijn te praten.'

'En?' vroeg de Schaduw, die de afslag naar het hotelletje nam.

'Hij wist niks meer en zei dat 't allemaal onzin was. Hij dacht dat iedereen allang dood was, maar was heel geïnteresseerd toen hij hoorde dat ik de dochter van de schilder Lev Kowalski was. En omdat hij een artikel van me had gelezen over de etherische effecten van 't clair-obscur, nodigde hij me uit voor een serie lezingen.'

'Ach,' zei de Schaduw. 'En zalig zijn zij die geloven...'

Mariska keek op. 'Hoor ik daar een licht cynische ondertoon?'

'... want zien dat de postbode de blauwe brief in de bus van de búúrman stopt,' zei de Schaduw, die tot zijn vreugde zag dat er nog licht brandde in het hotelletje. 'En laten we hopen dat de kok en de sommelier nog niet in pyjama zijn, wat. En mogelijk kun je dan ook proberen Lotje te bellen.'

Hij draaide de parkeerplaats op waar enkele andere auto's stonden. 'Maar, als 't mag, nog één vraag alvorens we de Inwendige gehoorzamen. Want als Zibbedeus en Lumina noch Lotje weet hebben van Poupette en Von Schmalensee alias Schweinfürstendum, hoe kwam jij er dan achter?'

'Lotje wist het wél,' zei Mariska, 'uit de brieven van de oude Dirckx. En Lotje las 't ook in de memoires van Paddeke, die 't al eerder wist en daarom... En pas op, wil je, want je zit al bijna op het bordes!'

17

'Niks,' zei Mariska mismoedig en ging weer zitten. 'Volgens de eige-naar is de lijn uitgevallen vanwege het onweer en kan het nog wel uren duren. En mobiel is er hier geen bereik.'

De Schaduw knikte, had 't al geweten want had zojuist, toen ze naar het vaste toestel bij de receptie ging, tevergeefs Silvère en Pompidou nog willen bellen.

En waar wás Lotje? En weer zag hij haar doodsbenauwde blik voordat ze in paniek bij Aetherus in het Dafje was weggereden. Was hij de enige geweest die haar had zien aankomen? Des te prangerder was de vraag waar Isodorus dan was. En Poupette. En als Poupette daar was, waar waren Gratia en Zombo dan?

In elk geval niet hier, in de schemerige eetzaal waar slechts één andere gast zat, een zwaar besnorde dikzak die hem deed denken aan een walrusachtige, temeer daar de dikkerd zo-even drijfnat was gearriveerd.

Het serveerstertje bracht de glazen en vroeg wat mevrouw en meneer wilden eten. En aangezien het de Ardennen waren, bestelde meneer ondanks zijn zorgen vers bereide kikkerbilletjes uit de Ourthe, gevolgd door wild zwijn met artisjokken, en mevrouw, dankzij haar zorgen, slechts paté van dat zwijn. En de Schaduw keek even op zijn horloge, zag dat 't tegen halfelf liep en vroeg zich af of 't niet beter was om hier te overnachten dan straks alsnog door de nacht verder te rijden, ook al was de bestemming niet ver hiervandaan.

Keurend nam hij een teugje van zijn malt en vond 'm voortreffelijk.

'De memoires,' zei hij. 'Want 't duizelt me, weet je. Hoe wist je ervan?'

Ook Mariska dronk, witte Bourgogne.

Alweer Lotje, zei ze. Lotje had haar twee dagen geleden in de vroege ochtend op Aetherus gebeld. Ze was danig in de war geweest. Ze was 's nachts uit haar hotel in Parijs gevlucht omdat ze kabaal op de gang had gehoord en daarna een man had gezien die de deur van de neef van Paddeke opentrapte.

'Ah,' zei de Schaduw en hij hóórde de vaas weer aan diggelen vallen.

'Ja,' zei Mariska, 'maar eerder al had ze buiten haar badkamer lawaai gehoord en, toen ze uit het raam had gekeken, een blonde vrouw bij een auto gezien die riep dat ze per ongeluk tegen een lantaarnpaal op was gereden.'

'Ah,' zei de Schaduw weer en nu zag hij de Mercedes weer in de struiken bij 't kerkhof van Deo Volente, met een deuk in de kap en een versplinterde koplamp.

'Gratia,' zei hij, 'Gratia met Zombo.'

'O?' fronste Mariska. 'Verdomme, Schaduw, 't wordt weleens tijd, vind je niet?'

'Absoluut,' zei de Schaduw, 'want een honger dat we hebben!' Hij doofde de sigaar en glimlachte naar 't serveerstertje, dat gedienstig de kikkerbilletjes voor hem neerzette en meneer smakelijk eten wenste.

'Laten we het hopen,' zei meneer. Hij vroeg om zo'n glas witte Bourgogne en knoopte geroutineerd de servet om de nek. 'Dus Lotje had de memoires eerder op Schwoppekes kamer gelezen?'

'Ja,' zei Mariska. 'Hij zei dat hij ze had gekregen in het tehuis waar zijn oom zat, maar hij begreep 't Frans niet. Maar wel de namen van Bonnermann en Von Schmalensee, en ook een notitie over die August en Geertje van april 1963. Zodat Lotje toch al overstuur was, want die Geertje kon immers niemand anders dan haar sinds de oorlog doodgewaande grootmoeder zijn! En vergeet niet dat ze net van Schwoppeke had gehoord dat haar grootvader Paddeke een week eerder was overleden!'

De Schaduw kloof meelevend aan het eerste billetje.

'Schwoppeke was overigens,' zei Mariska, 'net bij een journalist thuis geweest, een zekere Jean d'Aubry waar hij toevallig een zekere Schaduw had ontmoet.'

En in de manier waarop ze dat woord 'toevallig' uitsprak, bespeurde de Schaduw de loodzware ondertoon van een loodzwaar wantrouwen.

'Allerminst,' zei de Schaduw, 'want 't was puur voor de gezelligheid en we wisten van helemaal niets. Al vonden we die aantekening van Paddeke over August die "het" zou hebben, buitengewoon intrigerend, al was 't mijn zaak niet. Dat werd het pas toen me bleek dat Schwoppeke zijn aansteker was vergeten. Toen ik die 's nachts nog voor hem wilde afgeven, hoorde ik 'm gillen. En mijn dank is groot, mademoiselle.'

Hij veegde zijn lippen af, proefde van de Bourgogne, die al even voortreffelijk smaakte, en zag de walrus naar de receptie sjokken.

'Schwoppeke,' vervolgde hij, 'bleek vermoord, en wel met een dolk waarvan de eigenaar eeuwige trouw aan onkel Adolf had beloofd.'

'O mijn god!' schrok Mariska op. 'Gratia?'

'Ja,' knikte de Schaduw, 'en/of Zombo. En 't zou me niets verbazen als het 't mes oorspronkelijk van de dode Von Schmalensee was. Maar Lotje wist dus niet dat Schwoppeke dood was?'

'Niet toen ze me belde.' Mariska dronk weer en haalde haar sigaretten uit haar schoudertas. 'Maar ze was wel doodsbang en gilde dat die bankier De Cantaloupe daarom was vermoord.'

'Huh?' zei de Schaduw. 'Wáárom?'

'Om Paddekes memoires,' zei Mariska, 'want zijn naam stond daarin, zei ze, net als die van Zagwijn.'

Maar de Schaduw hoorde 't al niet meer. Hij haalde de sleuteltjes van de MG tevoorschijn, zonder zijn blik ook maar een seconde af te wenden van de open schuifdeuren waarachter de receptie schemerde. Plus een postuur dat voor geen misverstand vatbaar was.

'Doe me een lol,' fluisterde de Schaduw terwijl hij de sleuteltjes over tafel schoof, 'en smeer 'm als de bliksem via de achteruitgang naar de MG. En wacht daar.'

'Maar...' zei Mariska verbluft.

Maar ook dat hoorde de Schaduw niet meer, want hij was al achter de gordijnen verdwenen. En vloekte binnensmonds omdat het koffertje in de MG lag en hij geen wapen bij zich had gestoken. Wat Isodorus vast wel had gedaan. En hoe kwam Isodoor hier in vredesnaam? Al zou 't allerminst uit vredelievende overwegingen zijn. Had Isodorus hen gezien? Hen gevolgd toen ze gevlucht waren bij

Aetherus? En dan drong 't, mét een gilletje van 't serveerstertje, tot hem door. Hippolytes MG! Isodorus was immers in De Parel geweest, en de MG was dat ook, een pareltje waar Hippolyte apetrots op was en dus... Had Isodorus kriskras rondgereden op goed geluk op zoek naar de MG? En 't geluk gehad? Maar dan nog. De MG had immers verscholen bij het kerkhof gestaan.

Achter hem roffelde de regen tegen de ramen, maar ergens voor hem klonken voetstappen zodat hij zijn adem inhield. Waarna hij Isodorus hoorde snauwen: 'En waar zijn ze dan?'

'Ik... ik weet 't niet!' snikte het serveerstertje. 'Echt niet, meneer. Ze zaten hier nog zonet, kijkt u maar. Meneer zat nog aan!'

Onder de regen hoorde de Schaduw een auto stoppen, dan een portier klappen. Wie waren 't? Late gasten? De paradijsvogel? Lumina en Zibbedeus, die door Isodoor waren bevrijd? En waar was de receptionist dan? Hij stapte opzij, kon immers zelf wel worden gezien. Kon het raam open? Of wachtten ze buiten en hadden ze Mariska te pakken?

'Pech, Schaduw,' klonk de gniffelende stem van Isodorus ineens van heel dichtbij, 'want 'k zie je schaduw. Kom tevoorschijn. En met de handjes hoog boven je oren, en geen grappen want...'

En dan scheurden bijkans de trommelvliezen in die oren vanwege een daverende knal, waarboven 't serveerstertje huizenhoog gilde en Isodorus rochelend om zijn moedertje brulde en vervolgens tegen het gordijn en de Schaduw aan klapte.

'Stop met dat gejank, wil je!' snerpte de hese stem van een vrouw. Een stem die de Schaduw lichtjaren terugwierp in de tijd, naar dat zompige zaaltje propvol zweterige mannen, die popelden om 't laatste tulpenblad te zien dwarrelen terwijl Poupette zong dat de herfst zoveel moois had te bieden.

'Wat wilde hij?'

'Ik... ik weet het niet!' snifte 't serveerstertje. 'Hij vroeg naar een meneer en een mevrouw die daar zaten.'

'Zombo, zoek!' snerpte Poupette. En de Schaduw bevroor toen hij beneden zich een harige hand langs zijn gepoetste molières zag glijden, dan geritsel hoorde.

'*Ich habe es, gnädige Frau!*' grauwde een keelstem. '*Ich habe das Testament!*'

'*Mutti*, we moeten hier weg!' klonk de stem van een andere vrouw. 'En *schnell*! Zombo, schleep hem naar de auto... En jij, jij hebt ons *niemals gesehen*, anders...'

Waarop de Schaduw wel kon raden welk gebaar Gratia maakte, want het serveerstertje barstte weer in luid snikken uit. Een seconde later verdween 't gewicht van Isodorus.

Maar de Schaduw bleef roerloos naar het met bloed bespatte gordijn kijken, terwijl de konijnen lustig haasje-over sprongen. 't Eerste konijn was Isodorus, die gealarmeerd naar de MG op zoek was gegaan, nummers twee, drie en vier waren Poupette, Gratia en Zombo, die hem waren gevolgd. En 't leek hem niet dat er nog méér konijnen ronddartelden, want dan zou 't er vast nog een stuk lawaaieriger aan toe zijn gegaan dan 't al had gedaan. Dus was 't een solomissie van Isodorus geweest. Isodorus die het testament had gepikt. Was hij dood? En blijkbaar wisten Poupette c.s. niet waaróm hij hiernaartoe was gegaan, anders zouden ze 't immers niet aan het snikkende serveerstertje hebben gevraagd. Hopelijk, om 't eens in goed Duits te zeggen, *hatten Sie* sowieso *nichts gewusst* van een zekere Schaduw en een zekere Mariska. Wat, overwoog de Schaduw, dan weer een lichtpuntje in die o zo natte duisternis was.

En waar moesten ze zo schnell heen?

Hij hoorde een auto starten, draaide zich om en zag een blonde vrouw in 't schijnsel van het binnenlichtje van een donkere auto, het schijnsel vonkend op een driehoekige roze steen aan een gouden ketting rond haar hals. Dan klapte een portier toe en lichtten twee koplampen op en verdwenen in het natte duister.

'Schaduw?' riep Mariska ergens achter het gordijn. 'O mijn god! Schaduw!'

18

'Nog een geluk dat we de bagage niet hadden uitgeladen,' zei de Schaduw, 'want ik zou 'm missen, weet je, m'n pyjama in de kleuren van de clan der Campbells en eigenhandig gewoven door de vrouw van de oude Bruce, die naar 't schijnt drie minuten lang zonder ademhalen *"On the bonny, bonny banks of Loch Lomond"* op de doedelzak kan tetteren. Maar jammer natuurlijk van de kikkerbillen, om maar niet te spreken over...'

'Schaduw, alsjeblieft!' zei Mariska. 'Waar gaan ze naartoe?'

'Geen idee,' zei de Schaduw, beurtelings loerend tussen de zwiepende ruitenwissers en in de achteruitkijkspiegel van de MG. Ver vóór hem kronkelden de rode achterlichten van de Mercedes, ver achter de MG was 't donker.

'Maar 't moet te maken hebben met Paddekes memoires en zijn testament.'

'En hoe,' vroeg Mariska, 'komen ze aan dat testament?'

'Isodoor had het,' zei de Schaduw terwijl hij de MG de zoveelste haarspeldbocht in joeg. 'En ik denk dat 't vriend Isodoor goed uitkwam dat jij de Zagwijntjes en Pierlala uitschakelde, omdat 'ie de schat in zijn eentje wil. 't Is altijd al een hebzuchtig ventje geweest namelijk. Dus pikte hij het testament. En hij wist van de MG. Maar níét van Poupette cum suis.'

'En wie is Isodoor?'

'Is, of was,' zei de Schaduw. 'En ze zullen hem wel ergens dumpen. In welk geval de tekst op de zerk zal luiden: "Isodorus Smalbil, handelaar in alles wat vals, veil en voos was."'

'Smalbil?' zei Mariska verrast. 'Een dikke vent met een gezicht als een doorregen stooflap?'

'Ach, natuurlijk!' zei de Schaduw, 'Je ontmoette hem met Lumina in Aetherus. Silvère had jou immers aan de lijn. Jij was hun alibi die avond dat Schwoppeke werd vermoord.'

'En waarom zat hij dan achter jou aan?'

'Omdat ik de envelop had.'

'Ah,' zei Mariska. 'Hád?'

'Héb,' zei de Schaduw, en hij draaide de haarspeld weer uit. 'En Poupette cum suis zullen 't nu ook wel weten. Weet jij mogelijk wat Stooflap op Aetherus uitspookte? Voor innerlijk evenwicht zal 't niet geweest zijn, want de enige harmonie die hij kende, was de gevangenisharmonie die 't requiem speelt wanneer de hangman aan 't werk gaat, zie je.'

Ze schudde haar hoofd. 'Lumina stelde hem aan me voor als een oude kennis van haar vader. Waarom?'

'Omdat hij en Lumina juist die avond dat ik Schwoppeke bij d'Aubry sprak, in Le Cheval Blanc zaten,' zei de Schaduw, 'waar ze een afspraak met De Cantaloupe hadden.'

'Net als Lotje!' zei Mariska.

'Net als Lotje,' beaamde de Schaduw, en haalde een sigaar tevoorschijn. 'En had Lotje soms tegen Zagwijn gezegd dat ze die afspraak met De Cantaloupe had?'

'Ja,' zei Mariska.

'En Zagwijn hoopte dat De Cantaloupe zou weten waar Paddeke was,' peinsde de Schaduw hardop, 'en daarom stuurde hij Isodoor met Lumina met de smoes van een ijslandschapje naar Le Cheval Blanc. En ontvoerden ze De Cantaloupe. En maakte Polyphemus hem af toen hij niet wist waar Paddeke zat.'

Plotseling remde hij, draaide de lichten uit en zette de MG aan de kant.

'Wat is er?' vroeg Mariska geschrokken.

De Schaduw knikte in de richting van de twee helrode lichten op zo'n vijftig meter beneden hen, waar de Mercedes stilstond bij een T-kruising. Boven de kruising hing een helgroen verkeersbord dat in helwitte belettering aangaf dat Maastricht naar links was en Aken naar rechts.

'En wat,' zei de Schaduw, 'is 't plan? Naar dat Schweinfürstendum in *der Heimat* of...'

En de Mercedes sloeg links af.

'... naar Nederland,' zei de Schaduw opgewonden. 'Natuurlijk. Uilskuiken!'

'Wie?' vroeg Mariska verwonderd. 'En waarom dat "natuurlijk"?'

Maar de Schaduw zweeg, keek even naar 't geruststellend donker in de spiegel en wachtte tot de rode lichten waren verdwenen.

'Kijk eens of we al verbinding hebben,' zei hij, 'en zo ja, bel Lotje.'

Hij stak de sigaar aan en trok op.

''s-Heerendal!' zei Mariska, 'je denkt dat ze naar 's-Heerendal gaan!'

'Waarschijnlijk, want 't ligt niet ver van Maastricht.'

'Vanwege Lotje!'

Ja, knikte de Schaduw grimmig.

'Maar waarom zou ze daar zijn?'

'Geen idee. Maar waarom rijden zij er anders naartoe?'

Hij gaf gas en stoof onder 't verkeersbord door. En zag dat de naald van de benzinemeter akelig dicht naar de nul toekroop, zodat hij niet alleen vurig hoopte dat de MG 't zou halen, maar vooral dat de telefoon 't zou doen en dat Lotje op zou nemen. Ook als ze niet in 's-Heerendal was. En waarom waren Poupette, Gratia en Zombo er dán heen? Maar ook dat dacht hij te weten, en vond daarom dat uilskuiken nog zwakjes uitgedrukt.

'Ze neemt niet op,' zei Mariska nerveus. 'Ik heb ingesproken dat we eraan komen. Misschien slaapt ze al.'

De Schaduw mompelde een verwensing, niet alleen daarom maar ook vanwege een Hollandse vrachtwagen die voor hen langs de schemerig verlichte douanegebouwtjes sukkelde. Verderop glansde licht op de Mercedes die een seconde later in 't donker verdween.

En dan remde hij weer zo heftig dat Mariska zich vastgreep, draaide 't raampje open en vroeg aan een marechaussee die uit een gebouwtje kwam of de man Frans sprak.

'*Un peu,*' zei de man.

'*Bon,*' zei de Schaduw, die vervolgens informeerde of er een kortere weg naar 's-Heerendal was dan via de grote weg naar Maastricht. En uit 't steenkolenfrans begreep hij dat 't zo was, en dat hij dan de eerstvolgende afslag moest nemen die naar het Sint Jozef Congrescentrum verwees vlak bij de mergelgrotten van de 's-Heerenberg, want daar lag 't dorp pal naast. En 't was nog geen tien minuten rijden.

'Het Sint Jozef,' herhaalde de Schaduw. Was dat niet ooit een seminarie?

Klopt, lachte de man, zijn vader was er ooit van afgetrapt vanwege een meisje, en daarom, nou ja, monsieur begreep 't zeker wel?

'En of,' zei monsieur, 'zo ken ik er nog wel één. En komt u daarvandaan, uit dat 's-Heerendal bedoel ik?'

'Ja,' zei de man.

Kende hij dan mogelijk een oude kunstschilder Johannes Dirckx die er onlangs was overleden?

'O ja,' zei de man, 'wie niet? De oudste inwoner van 't hele Mergelland immers.'

'En,' vroeg de Schaduw, 'weet u soms ook waar hij had gewoond? Want hij had gehoord dat de achterkleindochter van die kunstschilder er was, en hij wilde haar graag spreken.'

'Klopt,' zei de man weer, 'dat jonge ding in dat rode Dafje. 'k Zag haar vanmiddag nog. En 't is niet moeilijk te vinden, het eerste huis aan de voet van de berg. U ziet het vanzelf, Huize Zanzibar.'

'Pardon?' zei de Schaduw verbluft.

'Zanzibar,' zei de man. 'Maar eigenlijk was 't de Zanzi Bar, want 't was ooit een bar van een zekere Zanzi Uijenkruijer, tot de Amerikaanse troepen het dorp hadden gebombardeerd. De bar werd later verbouwd...'

'*Et merci beaucoup!*' zei de Schaduw. Hij trok op en raasde langs de vrachtwagen zodat de regen en de wind hem in 't gezicht sloegen, 't gezicht dat nog pure verbazing uitstraalde. Dus Zanzibar was een bar geweest! Van Zanzi Uijenkruijer. De vader van Paddeke? Zijn moeder? De bar waar Paddeke had gewerkt. Gebombardeerd. Huize Zanzibar, waar de oude Dirckx na terugkeer uit Australië was gaan wonen. Waarom daar?

'Daar is die afslag,' zei Mariska, 'en wat is er met dat Zanzibar?'

'Heeft Lotje het erover gehad?'

Ze schudde haar hoofd. 'Mag 't raampje dicht?'

De Schaduw draaide het omhoog, en de afslag op, en zag de wegwijzer aan de kant van een inktzwart weggetje dat steil omhoog naar het Sint Jozef Congrescentrum leidde. En vroeg zich af of Poupette c.s. wisten van dat Huize Zanzibar.

En juist wilde hij Mariska informeren over die envelop met de postzegel en de sleutel, toen hij opnieuw een verwensing slaakte.

'Wát?' vroeg Mariska nerveus.

De Schaduw knikte naar 't flakkerend rode lampje van de benzinemeter.

'En 't zal *nom d'un chien* niet wáár zijn!'

Maar 't was wél waar, want na enkele kilometers begon de MG pruttelend langzamer te rijden ondanks 't ingedrukte gaspedaal, waarna het motorgeronk opeens afbrak en de enige geluiden die van de loeiende wind en de kletterende regen waren, en van de eveneens loeiende Schaduw die de wagen liet uitrijden en naar de kant stuurde.

'En nu?' vroeg Mariska.

'Lopen,' zei de Schaduw, klemde de alpinopet vaster op 't hoofd en pakte zijn koffertje want vér kon het niet meer zijn. 't Was immers slechts tien minuten rijden geweest.

Gekromd liepen ze tegen de wind en de regen omhoog tot ze hijgend en doornat de top van een kale heuvel bereikten. Beneden hen tekende een kerktoren zich af tegen de nachthemel die de Schaduw even deed denken aan die andere toren, daar in Sainte Chatelaine, waar in een andere nacht, bijna een halve eeuw geleden, August Loutertopf alias père Saurel vanaf was geduwd.

Hij rilde, en niet alleen vanwege de verkleumde botten, en staarde naar de twinkelende lichtjes van straatlantaarns en in de huiskamers van nog wakkere 's-Heerendallers. En dan bukte hij zich, klapte 't koffertje open en zocht tussen 't wapentuig, slingertouw, kopspijkertjes, bola en al wat dies meer was naar zijn nachtkijker, zette die aan een oog en tuurde naar twee parallelle lichtjes die langzaam in 't donker omhoog kronkelden. De Mercedes?

Huize Zanzibar, had de douanier gezegd, lag als eerste tegen de berg. Was dit die berg, niet meer dan een heuvel? Vast, dacht hij, want we zijn immers in Holland, waar ze al gauw ergens tegen opkijken. Maar waar was dan dat voormalig seminarie, waar nu gladgeschoren managers de beurskoersen op hun BlackBerry's raadpleegden in plaats van kaalgeschoren priesters hun brevier?

En dan riep Mariska: 'Schaduw!' Ze wees naar de andere kant, waar tussen het geboomte de massieve contouren opdoemden van wat de Schaduw een fort of burcht leek te zijn. En waar licht uit de ramen viel, onder meer op een parkeerplaats met de laatste modellen auto's, die ongetwijfeld niet op aanbetaling maar wel contant en onder tafel uit bijeen gegraaide bonussen dan wel roetzwart waren betaald.

Maar de Schaduw focuste door de nachtkijker op een ander voertuigje. Eén dat weliswaar niet 't meest aantrekkelijke leek in dit weer, maar wel 't handigste. Vooral ook omdat het zojuist ronkend was stilgezet door een gezuidwesterd persoon, die zich vervolgens met een stapel dozen naar de verlichte ingang repte.

'Hollen!' zei de Schaduw. Hij klapte het koffertje dicht en dééd 't al, als een schaduw gejaagd door de wind die hem zo hard voortblies dat zijn beentjes het nauwelijks bij konden houden en hij struikelend en blazend zowat tegen de gemotoriseerde bakfiets oplazerde. Waarop stond dat hij eigendom was van Pizzeria Napoli, gespecialiseerd in pizza's. Wat de Schaduw deed opmerken dat 't dus voor geen misverstand vatbaar was. Waarop hij de bakfiets startte terwijl Mariska al in de bak kroop en riep dat er nog meer dozen lagen. 'Brrr!' zei de Schaduw, die ondanks de gemiste kikkerbillen en 't wilde zwijn nog liever de hongerdood stierf dan dat hij zijn tanden in een stuk karton met aangebrande kaas en tomaten zette.

Hij schakelde en volgde ronkend en hobbelend het licht van de koplamp naar beneden, met de oogjes samengeknepen achter het beregende windscherm.

Waren het de lichtjes van de Mercedes geweest? Dan moest Zombo alle maximale snelheden aan de laars hebben gelapt dan wel ook de afslag hebben genomen. En dan drong 't tot hem door dat dat laatste heel wel mogelijk was, omdat Poupette en Von Schmalensee hier eerder konden zijn geweest, op zoek – als hij, Schaduw, gelijk had – naar de oude Dirckx, die dan weet had gehad van de schat! Al hadden ze Dirckx niet gevonden omdat hij in Australië zat.

'Dáár,' riep Mariska, 'rechts beneden!'

En de Schaduw zag het en zette automatisch het motortje uit, waarna de bakfiets nog even geruisloos verder hobbelde tot bij een lage muur. Waarachter 't spookachtig licht van een buitenlantaarn schaduwen wierp op een hoog herenhuis, waarop tussen gesloten luiken de naam HUIZE ZANZIBAR in de regen glansde. En vóór 't huis stond een glanzend tomaatrood Dafje 33. Maar ook een glanzende zwarte Mercedes 500 SEL.

En dan liepen de Schaduw opnieuw de rillingen over de rug. Want heel even had hij onder de wind en de regen de kreet van een vrouw gehoord, een kreet die hem huiverend deed denken aan die nacht in het Bellevue.

19

'Vreemd,' zei het mannetje, "k kreeg 't toch echt door, Huize Zanzibar, Bergweg 1, één Quattro Stagioni.'

Hij zei het in 't Duits omdat degene die de deur zojuist had geopend dat sprak. Althans iets wat erop leek. Onder zijn alpinopet namen zijn kraaloogjes de aapachtige gestalte in de deuropening angstig op. 'En waarom dat pistool?'

'Humph,' grauwde de aapachtige, maar stak 't monsterachtig grote pistool toch weg. '*Wer hat* dat besteld, dan?'

'Duizendmaal dank,' zei 't mannetje, "t maakt zo zenuwachtig namelijk.' Hij haalde een papiertje tevoorschijn en hield 't op naar het licht. 'Mejuffrouw Dirckx... Mejuffrouw L. Dirckx, Huize Zanzibar.'

'*Und wenn ist das denn* besteld?'

'Een halfuurtje geleden,' zei 't mannetje verontschuldigend, 'maar 'k moest eerst nog de berg op, ziet u, want de heren in 't congrescentrum hadden me toch een hoop margarita's en hawaïs gewild, en 't regent en waait en we zijn ook niet meer de jongste en...'

'Zombo!' snerpte een hoge stem ergens uit 't huis, 'wie is dat?'

'*Ein* pizzakoerier,' riep Zombo, '*Mit eine pizza für die* Lotje!'

Even was het stil.

'Betaal hem en laat 'm wegwezen!' snerpte de hoge stem toen.

'Humph!' grauwde Zombo en hij graaide naar zijn achterzak.

'Ziet u wel,' glimlachte 't mannetje, 'lààt als het is, servies is ons devies, zeg 'k altijd maar. En ach, 't spijt me verschrikkelijk.'

Want op de een of andere manier was de pizzadoos hem, geopend en wel, ontglipt, zodat de kaas- en tomatensmurrie over de witte gympen van de aapachtige droop en de aapachtige zich woedend bukte. '*Du Dumkopf mit deinem...*'

'Kop,' zei het mannetje, 'dicht.' Waarna er iets suisde en bonkte en de aapachtige snorkend onderuitgleed in de smurrie. En de Schaduw de ploertendoder met dezelfde snelheid als waarmee hij hem had getrokken terug in de binnenzak schoof.

'Zonde hoor,' zei het mannetje, 'want 't was extra *hot & spicy* en met een krokante bodem van Spaanse pepers.'

Mariska kwam achter de bakfiets vandaan en staarde met grote ogen naar de snorkende Zombo. 'Mijn god!' zei ze. ''k Wist niet dat 't bestond!'

'Er is ook eeuwen naar gezocht,' zei de Schaduw. 'De missende schakel, zie je. En 't lijkt me beter dat 'ie dat blijft, want...'

'Zombo!'

Poupettes stem snerpte weer door de gang.

'*Sofort*,' grauwde de Schaduw terug. Hij bukte zich en trok het monsterachtige pistool tevoorschijn, benevens de sleutel van de Mercedes. Haalde dan een tennisbal uit het koffertje en kneep in de snorkende neus zodat Zombo's harige kaken uiteen weken.

'En je zou ze eens moeten poetsen,' zei de Schaduw. Hij wrong de bal tot achter de geel uitgeslagen tanden, pakte vervolgens een set handboeien uit het koffertje, klikte ze aan elkaar, trok een besmeurd been naar een harige hand en klikte de boeien eromheen. Trok daarna het groezelige jack over 't harige hoofd, sjorde de aapachtige bij de kraag naar de bakfiets en siste Mariska toe hem te helpen. Waarna hij hijgend iets mompelde over aap in 't bakkie, en de kap over de bak sloot.

'Goh,' zei Mariska, 'je bent 't nog niet verleerd, Schaduw, sinds die Spaanse pepers!'

En de Schaduw keek even verrast op omdat ze dat nog wist, dat avontuur van zo lang geleden op Mallorca, genaamd *Spaanse Pepers*, dat ook wel bekendstond als De Spaanse getijden van monsieur Carlier. En monsieur Carlier zou wel wensen nu daar onder de Spaanse zon te toeven in plaats van hier in de Hollandse regen.

'En nu?' fluisterde Mariska.

Maar de Schaduw zweeg en luisterde, want hij meende even motorgeronk te horen. Maar 't was stil op het geruis van de regen na.

'Nu,' fluisterde de Schaduw, 'is 't zaak om...'

Maar dan flitste ergens een oranje vlammetje, en terwijl hij al wegdook boorde een kogel zich jankend in de bak van de fiets.

Hij rolde opzij tussen druipnatte, geurende struiken toen een tweede knal klonk, naar hij dacht schuin boven hem, en toen hij opkeek zag hij het silhouet van een vrouw tussen de luiken van een open raam op de eerste verdieping. Het matte licht van de buitenlamp vonkte op het pistool in haar hand. Maar ook op de roze driehoekige steen aan een glinsterend gouden halsketting.

'De handen hoog,' snauwde Gratia, 'en loop naar de deur!'

En de Schaduw wilde 't al doen toen hij Mariska met haar handen boven haar hoofd naar de deuropening toe zag lopen. Waarin zich het silhouet van een andere vrouw aftekende dat hij ondanks al die jaren herkende als het nog immer voluptueuze silhouet van Poupette in de spotlights van Le Canard Jaune. Behalve dat ze toen geen pistool had vastgehouden.

En hoe graag had de Schaduw dat nu gehad! Dat monsterachtige pistool bijvoorbeeld bij het koffertje dat op slechts enkele meters van hem af lag. Zo frustrerend dichtbij, maar ook zo frustrerend ver weg, want hij maakte zich geen enkele illusie over zijn eigen snelheid noch over die van een dodelijke kogel.

Gratia verdween en sloot de luiken.

Poupette lachte, en ook dat lachje herkende hij. Datzelfde, wat spottende lachje van indertijd, wanneer tot teleurstelling van 't zwetende zaaltje de spotlights doofden alvorens 't laatste tulpenblad ritselend viel.

'Mariska Kowalski! En 't is niet voor niets, natuurlijk, dat jij op Aetherus uitgerekend over Rembrandt kwam vertellen! En wáár is Carlier?'

De Schaduw verstrakte. Ze hadden hem dus niet gezien, maar hoe wist Poupette dan dat hij er was? Achter Poupette doemde Gratia op.

'Carlier?' vroeg Mariska onnozel.

'Carlier, C.C.M.,' snerpte Poupette, 'beter bekend als de Schaduw, met wie je jaren achter Bolo aan zat. Je sprak 't namelijk in op 't mobieltje van Lotje dat jullie eraan kwamen, nog geen halfuur geleden. Dus waar is 'ie?'

En de Schaduw kreunde inwendig vanwege die stommiteit.

'Weg,' zei Mariska, 'met die aap van je achter zich aan...'

En ondanks die stommiteit bewonderde de Schaduw haar nu om haar koelbloedigheid.

Poupette lachte weer. 'Hoe treurig dan. Zombo is namelijk nogal snel, weet je, en vooral met 't mes.'

'Ja,' zei Mariska, "k hoorde al zoiets in het Bellevue. Dapper hoor, een mannetje in zijn pyjama doodsteken.'

'De *Schweinhund* wilde niet meewerken,' snauwde Gratia.

'Ach,' glimlachte Mariska, 'en zijn oom Paddeke eerder ook niet?' En de Schaduw zag Gratia schrikken.

'En verder,' zei Mariska, 'weet ik niet wat jullie van plan zijn, maar als 't goed is krioelt het hier straks van de politie, want die hebben we hier net op het bureau geïnformeerd vanwege een zekere Smalbil die...'

En dan schreeuwde ze van pijn omdat Gratia met het pistool uithaalde, zodat de Schaduw zich moest inhouden niet uit de struiken tevoorschijn te komen.

'Je liegt,' zei Gratia, 'want er is geen politiebureau in dit gat. En dus ga je nu die Carlier bellen. En zeg hem dat hij hier binnen een kwartier is wil hij niet dat ik je een kogel door je kop jaag. En nu naar binnen, want we hebben haast. Ik neem aan dat je vriendin Lotje wel zal zeggen waar "het" is, want je herinnert je vast nog wel hoe je vader 't uitgilde toen de mijne...'

En de deur viel dicht en werd hoorbaar op slot gedraaid en vergrendeld.

De Schaduw zat roerloos, althans fysiek want psychisch was 't een op een hol geslagen mallemolen. Wat had Poupette bedoeld met die opmerking dat Mariska op Aetherus uitgerekend over de grote Rembrandt had zullen vertellen? En wat moest Lotje dan zeggen? 'Het'. Waarom dat 'het', als 't toch een schat was. En des te waarschijnlijker was 't, zoals hij al had gedacht, dat dat die schat hier was, in Huize Zanzibar. En dat de sleutel in de envelop dus hier ergens paste. Was de oude Dirckx soms de schatbewaarder geweest en had Paddeke daarom geld aan hem overgemaakt? Was 'ie daarom regelmatig een weekeind hiernaartoe gegaan?

Hij kwam overeind en zag het licht op de bakfiets vallen. En op donkerrood bloed, dat gestaag uit een kogelgat in de bak drupte. Waarmee, vond hij, weer eens werd bevestigd dat die hele *survival of the fittest* toch meer een kwestie was van de trekker van het pistool dan van de genetica.

En de doornatte Schaduw, doorgaans toch bewogen waar 't ging om menselijk en dierlijk leed, kon geen spat medelijden opbrengen, anders dan voor Isodorus die althans nog iets menselijks had gehad en wiens ontzielde lichaam hij in die andere bak, zijnde de kofferbak van de Mercedes, vermoedde.

Dus Gratia en Poupette hielden Lotje daarbinnen gevangen. Net als nu ook Mariska, wier vader door Von Schmalensee was gedood. En ook al had ze nooit verteld hoe, de Schaduw had er zijn spreekwoordelijke schaduwiaanse fantasie niet voor nodig om zich voor te stellen waaróm de arme Kowalski het indertijd had uitgegild. Maar liever niet. En zeker nu niet, waarin 't geen tijd voor reflectie maar voor handelen was. En godzijdank lag daar nog het koffertje.

Desondanks besefte hij dat 't zelfs met klimtouw en breekijzer een allemachtig heidens karwei zou zijn om ongestoord en ongezien binnen te komen. En zeker binnen dat door Gratia gestelde kwartier, waarvan inmiddels al een minuut was verstreken zodat Mariska hem elk moment kon bellen.

En dan verstijfde hij. Want uit de kofferbak van de Mercedes klonk getik en geklop.

Een seconde stond hij als bevroren. Toen greep hij naar het koffertje, pakte het pistool en de autosleutel, holde naar de Mercedes en wurmde het slot van de kofferbak open, waarin 't opeens weer dodelijk stil was.

Tot de Schaduw met gericht pistool de klep oplichtte, een pas achteruit deed en zei dat Isodorus zijn kaken op elkaar moest houden. Wat Isodorus niet deed want hij sperde ze juist open. 'Schaduw! Jij?'

'Helemaal,' knikte de Schaduw. 'En jij bent dus niet dood, tenzij je je misdraagt want dan is 't alsnog zo ver. En kun je d'r zelf uitkomen?'

''k Mag 't hopen,' zei Isodorus somber. 'Ze hebben me namelijk in m'n poot geschoten, zie je. En 't doet pijn als de hel.'

En de Schaduw zag 't, een boomstam van een dijbeen waar een met bloed doordrenkt overhemd omheen was gewonden. Een overhemd van Isodorus, want Isodorus was naakt op een kolossale paarse onderbroek met gele sterren na die de Schaduw deed denken aan het vaandel van het majorettekorps van Cassis, en Isodoor zelf eens temeer aan een te roze stooflap.

'En je kunt me geloven of niet,' zei Isodoor huiverend in de regen, 'maar 't was een aap. En als ik 'm nog eens tegenkom, is 't een dooie aap!'

'Doe geen moeite,' zei de Schaduw en hij knikte naar de bakfiets, 'want dat is 'ie en daar ligt 'ie. En 't was geen aap, maar een zekere Zombo, in dienst bij Marie Dubois alias Poupette la Tulipe. En hoe wist je dat Mariska en ik in de MG zaten?'

'Omdat,' grijnsde Isodorus, 'ik net naarbuiten kwam toen ik jou dat koffertje onder die Rolls vandaan zag trekken.'

'En je had Paddekes testament gepikt.'

'Uit Lumina's bureau,' zei Isodorus, 'want ze was druk met jou be- zig. En verdomd knap werk, Schaduw, dat je...'

En dan staarde hij met uitpuilende ogen over de Schaduw heen naar het huis. 'Zijn we híér?'

'Wat?' zei de Schaduw verbaasd. 'Maar je kent het natuurlijk! Je was hier eerder, bij Dirckx, met liters bier in je pens en vervalste Hollandse meesters in je auto voor De Cantaloupe!'

'Dus dat weet je,' zei Isodorus.

'Ja,' zei de Schaduw, 'en de toelichting volgt te zijner tijd. Want ik heb haast, weet je, en een gloeiende ook, want...'

Waarop hij zweeg omdat de *Danse Macabre* weerklonk. En het mobieltje tevoorschijn haalde en opnam.

'Schaduw?' vroeg Mariska. En dit keer klonk ze allerminst koel- bloedig.

'Ja.'

'Waar ben je?'

'In 't dorp,' zei de Schaduw, die 't sterke vermoeden had dat twee paar andere oren meeluisterden. 'En heb jij Zombo gezien? Want ik ben 'm kwijt.'

Waarop zijn vermoeden bevestigd werd door een hees, spottend lachje.

'Schaduw,' zei Mariska half huilend, 'ze houden me vast in Huize Zanzibar en je krijgt een kwartier om hier te komen...'

'Ongewapend!' snauwde Gratia.

'Ongewapend,' zei Mariska, 'want anders schieten ze...'

'En als ik jou was, Carlier,' snauwde Gratia, 'zou 'k hóllen! En geen geintjes, want ik bel nu Zombo. Wacht bij de voordeur tot hij er is!'

Waarna het spottende lachje van Poupette weer hoorbaar was en 't dan stil werd.

'Was dat die Kowalski?' vroeg Isodorus klappertandend. Maar de Schaduw stond al bij de bakfiets en tilde de kap op waaronder oerwoudgeluiden klonken. Die van een mobieltje in Zombo's jack afkomstig bleken. Waaruit de Schaduw het al tevoorschijn wilde frommelen, toen er iets in zijn vinger prikte. En het iets was een lange dolk met op het heft een gouden adelaar met gespreide vleugels wiens klauwen zich kromden over de omcirkelde swastika. En op 't lemmet stond in sierlijk gegraveerde gotische letters UNSERE EHE HEISST TREUE.

En dus had Zombo er twee gehad. Van Von Schmalensee?

'Godallemachtig!' zei Isodorus met opnieuw uitpuilende ogen.

Maar de Schaduw nam al op.

'Zombo?' snerpte Poupette.

'Humph,' grauwde de Schaduw.

'*Komm nach hier und schnell! Und warte bis* de Schaduw *da ist. Ich ringe dich nogmals an! Verstanden*?'

'Humph,' grauwde de Schaduw en schakelde uit.

'Mooi werk,' klappertandde Isodorus, die naar de roerloze Zombo keek, ''t jouwe?'

'Nee,' zei de Schaduw terwijl hij de kap weer sloot en het mes bij zich stak. 'Gratia, de dochter van Poupette. En vandaar die gloeiende haast, want als ik me hier niet binnen een kwartier meld, schiet ze Kowalski en Lotje dood.'

'Lotje?' zei Isodorus verbluft. 'Is Lotje daar ook?'

'Ja,' zei de Schaduw. 'En 't probleem is hoe daar binnen te komen zonder dat Poupette en Gratia 't merken. Misschien aan de achterkant. En ik hoop dat je kunt lopen, want al gun ik je van ganser harte een dubbele pleuritis, ik laat je niet...'

'Er loopt daar een gang,' zei Isodorus. 'Aan die achterkant.'

'Een gang?'

'Uit de berg tot in het huis. Dirckx gebruikte 'm voor het in- en uitladen van zijn schilderijen.'

'Zoals een ijslandschapje voor De Cantaloupe,' zei de Schaduw.

Waarop Isodorus hem perplex aankeek. 'Dus dat weet je ook!'

'O ja,' zei de Schaduw. Hij drukte de alpinopet steviger op het hoofd, pakte het koffertje op en hield het monsterachtige pistool in zijn andere hand. 'En strompel voort, Isodoor, en doe wél en zie niet om, want weet dat ik je in de smiezen houd!'

Maar toen herinnerde hij zich iets.

'Wie en waar,' vroeg de Schaduw, 'is die gemotoriseerde paradijs-vogel?'

20

'Hij volgde me,' fluisterde de Schaduw, 'en vermoedelijk al vanaf Parijs. Want hij reed achter me toen ik naar Hippolyte ging. En de volgende ochtend zag Hippolyte hem achter jouw vriendje Kodde met Pierlala en het testament in de Cayenne aangaan.'

'Al sla je me dood,' fluisterde Isodorus.

En de Schaduw hield de voor de hand liggende opmerking binnen en besloot dat de paradijsvogel dus voor Poupette moest werken.

Hij had de zaklamp uit het koffertje aan Isodorus gegeven, die nu gebukt en klappertandend voor hem uit strompelde, want 't was een lage gang en bovendien eentje met stalagmieten en -tieten zodat 't sowieso lastig liep. Vijf minuten geleden waren ze er binnengegaan. De ingang was afgeschermd door hoge struiken die aan de voet van de berg groeiden. En waar Huize Zanzibar tegenaan was gebouwd, de achterkant van het huis was de bergwand. Het had de Schaduw niet waarschijnlijk geleken dat Lotje of Gratia en Poupette van de gang wisten, want de struiken hadden een dichte hindernis gevormd.

Naar zijn schatting liepen ze nu onder het huis. Volgens Isodorus was er na een bocht een luik dat uitkwam in het atelier van de oude Dirckx, waar hij de ene na de andere Hollandse meester had vervalst en via Isodoor had doorverkocht. Ook aan De Cantaloupe. Die dus gewéten had dat 't vervalsingen waren.

Natuurlijk, had Isodorus gezegd. Want als je wist hoe je 't moest doen, te weten als je geld had, en dat hád De Cantaloupe zoals een aap vlooien, dan was 't immers een fluitje van een cent om een suppoost in 't Louvre, het Prado of het Rijksmuseum een echte Vermeer of een echte Picasso door een vervalste te laten vervangen? En verválsen had de oude Dirckx gekund!

De Schaduw tuurde op zijn horloge en zag dat er ruim zeven minu-

ten van het kwartier voorbij waren. En hoe jammer, bedacht hij, was
't dat Silvère, zo'n driehonderd kilometer zuidelijker, zo-even niet
had opgenomen, noch Pompidou. Toch had hij bij beiden ingesproken, ook al was er dan geen politie in 's-Heerendal en was 't altijd te
laat gezien dat kwartier dat nu dus nog geen acht minuten was.

En bijna hing de alpino aan zo'n stalagtiet toen Isidorus stilstond
en de zaklamp op het luik boven zijn gebogen hoofd richtte.

Het luik oogde alsof 't in geen tijden was geopend.

'Openmaken?' fluisterde Isodorus.

De Schaduw knikte, wilde de zaklamp al overnemen maar schrok
toen op, want meende ergens achter zich geritsel te horen in 't donker.

'Vleermuizen,' fluisterde Isodorus. ''t Barst hier van de grotten.'

De Schaduw knikte opnieuw, herinnerde zich het bord dat naar
de mergelgrotten verwees en bescheen het luik waartegen Isodoor
nu met twee handen als hammen duwde. Eronder staken roestige
beugels uit de rotswand.

En terwijl het luik langzaam openschoof hoorde de Schaduw gezang en herkende grimmig de ijle stem van die zo unieke chanson-
nière Edith Piaf, die zong dat ze nergens spijt van had. En dus was
't Poupettes morbide humor, want dat was ook het lied waaronder
ze zich in Le Canard Jaune van de tulpenbladen had ontdaan en
't maakte vanzelfsprekend ook Lotje en Mariska duidelijk wat hen te
wachten stond.

Maar 't kwam goed uit, dat *Non, je ne regrette rien* en de aanzwel-
lende violen die La Piaf opzweepten.

'Jij eerst,' zei de Schaduw. Hij wachtte ongeduldig tot Isodorus
omhoog klom, en hield het pistool omhoog op hem gericht toen hij
eerst het koffertje aangaf en dan zelf omhoog klom.

De bedompte ondergrondse lucht mengde zich met de geur van
lijnolie en terpentijn en verven; en in het schijnsel van de lamp
doemden vergulde lijsten, linnen doeken, potten met kwasten en
penselen op, alle overdekt met stof en grijzig spinrag.

Nog twee minuten, zag de Schaduw, vóór de oerwoudgeluiden uit
Zombo's mobiel weer zouden klinken.

'Enig idee waar ze kunnen zitten?'

'Nee,' fluisterde Isodoor, die zei dat hij nooit verder dan hier in het atelier was geweest. De Schaduw liet het licht rondcirkelen langs glanzende landschappen en glimmende stillevens en portretten, tot het zich hechtte aan een deur.

'Maak 'm open,' zei de Schaduw. 'Zachtjes!'

Want de violen ruisten alsof 't niet ver was.

'Ga voor,' zei de Schaduw toen het licht door de deuropening in een marmeren gang viel.

'Ik ben daar belazerd!' siste Isodorus. 'Wat als ze schieten?'

'Daarom,' fluisterde de Schaduw. 'En zie 't als een...'

Maar hóé Isodorus 't moest zien, bleef in de lucht hangen, lucht waar de Schaduw naar hapte omdat een van de hammen hem vol in de nek trof en wel zo hard dat hij dubbelklapte, zijn alpino verloor en pistool en koffertje losliet. En grimassend toezag hoe Isodorus 't pistool opraapte en zei dat 't hem speet. Maar dat 't allemaal mooi en aardig was, maar dat 'ie 't verdomde om voor schietschijf te spelen en...

En dan zweeg, met uitpuilende ogen die de verbijsterde Schaduw een seconde in totaal onbegrip aankeken en dan wegdraaiden. Zoals ook Isodorus zelf draaide, tegen een levensgroot landschap vol grazende koeien onderuitzakte terwijl 't leek alsof er een helrode bloem uit zijn roze adamsappel bloeide. En hóóg ruisten de violen en nog hóger zong La Piaf dat 't haar nog steeds niet speet, maar 't geoefende oor van de Schaduw had desondanks het schot gehoord.

En dan zweeg de muziek en zag hij tegenover zich in de deuropening Gratia, het ganglicht glinsterend op de halsketting en op 't damespistooltje in haar hand. Maar ook op hoge zwarte laarzen, even zwart als het glimmende broekpak dat ze droeg. Waar op de hooggesloten kraag een zilveren doodskopje boven gekruiste botten vonkte.

'*Et bien étonné de se trouver ensemble...*' snauwde Gratia.

'Je moet eens wat aan je accent doen,' zei de Schaduw, 'al past het wel bij dat broekpak van je. En droeg je moeder dat niet in het SS-bordeel aan de Boulevard Haussmann?'

'... in de dood,' zei Gratia. Ze bukte zich, en raapte Zombo's pistool op.

'Overeind en je handen hoog. En waar is Zombo?'

'De laatste keer dat ik hem zag,' zei de Schaduw en trok zo achteloos als maar mogelijk de alpinopet naar zich toe, 'was 'ie doende met pizza's.'

'*Quatsch*!' snauwde Gratia. 'Hoe komt die dikke hier dan aan zijn pistool?'

'Geen idee,' zei de Schaduw. 'Misschien moet je voortaan eerst vragen en dan pas schieten.'

Hij wilde de pet opzetten, maar ze zwaaide met het pistooltje. 'Handen hoog, zei ik!'

'Mij best,' zei de Schaduw. Die 't inderdaad best vond.

En ook dat ze hem razendsnel fouilleerde en met een minachtend glimlachje de ploertendoder uit zijn binnenzak trok.

'En dat,' zei ze honend, 'is het wapen van de beroemde Schaduw?'

'Ach,' zei de Schaduw, 'je hecht aan die dingen, weet je.'

'*Schweig*! Wat zit er in dat koffertje?'

'Ik zou 't niet weten,' zei de Schaduw. ''t Is, herstel, 't wás namelijk van de dikke. Misschien zijn pyjama?'

Een ogenblik aarzelde ze en in dat ogenblik hád de Schaduw misschien kunnen toeslaan, maar hij waagde het toch niet. Want wáár was Poupette? En waar waren Lotje en Mariska?

'Kom!' snauwde Gratia.

Ze stapte achteruit en hield hem onder schot terwijl hij langs het roerloze roze lichaam van Isodorus de gang op liep.

'Dus hij werkte voor jou!' snauwde ze. 'Ging hij daarom met het testament naar dat hotelletje?'

'Ja,' loog de Schaduw. 'En jullie volgden hem?'

Ze lachte kil. 'Zombo zag hem het testament pikken. En waar is de envelop?'

En de Schaduw glimlachte terug. ''k Wilde dat ik het wist.'

Haar groene ogen knepen zich samen. 'Wat bedoel je?'

'Dat ik 'm hád,' zei de Schaduw, 'en dus niet meer héb. Hij werd namelijk ook gepikt, zie je.'

'Door wie?'

'Een vent op een motor,' zei de Schaduw. 'Een vent met een rode helm in een paars pak op een groene motor.'

En verbaasd zag hij aan de groene ogen dat ze kennelijk geen idee had wie de paradijsvogel was.

'Hij pikte het uit mijn hotelkamer in De Parel van Sainte Angélique en omdat Zombo daar ook jouw ketting pikte...'

'*Liebchen?*' snerpte Poupettes stem. En de Schaduw zag nu pas de trap naar beneden.

'*Wir kommen, Mutti!*'

Ze gebaarde dat hij de trap af moest.

'Wat is 't?' zei de Schaduw terwijl hij afdaalde, 'een instuif of een martelkelder?'

'Je liegt,' zei Gratia. 'Zombo heeft daar niemand gezien behalve jou.'

'En hoe wist hij dan dat ik daar was?'

Ze lachte spottend. 'Omdat ik een visitekaartje in de tas van Schwoppeke vond, die avond in het Bellevue. Een goud-op-sneekaartje van een zekere commissaris C.C.M. Carlier alias de Schaduw. Wat ik nogal wonderlijk vond, snap je.'

En de Schaduw vond 't opnieuw meer dan onvergeeflijk dat hij dat kaartje was vergeten.

'En dus,' zei Gratia, 'lag de conclusie voor de hand toen ik Yvette in Deo Volente belde met de vraag of Schwoppeke mogelijk nog iets van zich had laten horen, en zij me vertelde dat commissaris Carlier net langs was geweest... en sta stil.'

De Schaduw stond stil bij een deur en hoorde onder de malende gedachten in 't brein achter die deur een zacht snikken.

'Mutti?' riep Gratia.

En achter de geopende deur stond Poupette, wier eveneens groene ogen naar de Schaduw glimlachten, maar 't was een allerminst prettige glimlach. En ook Poupette droeg hoge, zwarte laarzen en een zwart broekpak waarop het doodskopje grijnsde zodat de Schaduw heel even aan de dode Bonnermann moest denken. Maar tevens hield ze een lange zweep vast die de Schaduw ogenblikkelijk herkende als de kat met de twee staarten.

'Ah, Marie,' zei de Schaduw. 'Da's lang geleden, meid! En was je van plan om paardje te gaan rijden, want ik herinner me dat...'

Maar hij stokte bij de aanblik van twee andere ogen die hem kwaadaardig opnamen, de ogen van een oude man in het zwarte uniform van de SS en met de zilveren doodskop op de hoge zwarte pet.

Dan haalde de Schaduw langzaam adem, want hij zag dat het een levensgroot en vooral levensecht schilderij was. En als 't niet Freiherr Bolo von Schmalensee was geweest die daar in 't schemerdonker was afgebeeld, zou de Schaduw hebben gezworen dat Rembrandt zelf het schilderij had gemaakt, want de lichtval die op de Freiherrs meedogenloze gelaatstrekken viel, was ontegenzeggelijk een meesterlijk staaltje van rembrandteske clair-obscur.

Knap, wilde de Schaduw zeggen, hoe zo'n schilder d'r toch nog iets van heeft weten te maken. Maar hij zweeg onthutst, want zag nu ook de twee vrouwen die links en rechts van het kolossale schilderij aan handen en voeten lagen gebonden. Van beiden was het bovenlichaam ontbloot en de helrode striemen op hun schouders en rug deed het bloed in de aderen van de Schaduw koken.

'Dag Schaduw,' zei Mariska. 'Sorry dat er niks te drinken is.'

'Schweig!' snerpte Poupette en ze liet de twee staarten knallen zodat Lotje huilend in elkaar kroop. 'Wat zit er in de envelop en waar is het?'

'Hij loog dat een vent op een motor hem...' zei Gratia.

'Een sleutel,' zei de Schaduw.

'Een sleutel?' zei Poupette verbluft.

'Een sleutel,' herhaalde de Schaduw en zag hoe Lotje opeens met behuilde ogen opkeek.

'Wat voor een sleutel?' snauwde Gratia.

'Geen idee,' zei de Schaduw, 'maar ik denk van een deur en...'

'Waar is 'ie?' snerpte Poupette.

'In m'n pet,' zei de Schaduw. 'In de voering, want ik dacht dat Zombo ernaar op zoek was, zie je, en ik zeg altijd maar dat je beter onder je pet dan...'

'Geef!' snauwde Gratia.

'De pet?' vroeg de Schaduw en bracht een hand naar de alpino.

'De sleutel!'

Ah, knikte de Schaduw en liet de hand met de pet zakken.

'Schudden!' snerpte Poupette, 'en laten we hopen voor jou dat er inderdaad niets anders in zit dan...'

En dan snerpte ze 't uit vanwege het flitsende staaldraad dat haar vanuit de alpino in 't gezicht sloeg, en zich binnen dezelfde seconde dat een schot daverde om Gratia's pols wikkelde, zodat ze met een schreeuw Zombo's pistool liet vallen maar met het damespistooltje op de Schaduw vuurde die de kogel langs een oorlel hoorde janken, achter zich Poupette hoorde gillen en haar met een ongelovige blik in elkaar zag zakken. Meteen liet hij 't staaldraad fluitend en suizend rond Gratia's glimmende laarzen snoeren waarop ze schreeuwend achteroverviel, het schilderij met zich meetrok en vervolgens met haar hoofd zo ongenadig hard tegen de plavuizen sloeg dat de Schaduw het tot in zijn natte ruggenmerg voelde.

'Chapeau!' zei Mariska, 'al was 't dan een pet!'

'Dank', hijgde de Schaduw, 'en dan te bedenken dat 'ie ooit van oom Archibald was, die 'm vanwege oorsuizingen droeg.'

En hij glimlachte naar Lotje die hem met de gebonden handen zedig over haar borsten en met dezelfde grote, bange ogen aankeek als die nacht in het Bellevue. En de Schaduw rook de geur van verse amandelen.

'Zei u een sleutel?' zei Lotje.

'Ja', zei de Schaduw verbaasd. 'Met RF erop. Zegt het je wat?'

Maar ze gaf geen antwoord en knikte naar het schilderij van Von Schmalensee.

'Overgrootvader schreef dat hij dit hier in de grotten schilderde', zei ze. 'Als u goed kijkt, ziet u achter hem in het donker mijn grootvader Paddeke die een sleutel ophoudt.'

21

'Ik denk dat het naar de grotten leidt,' zei Lotje, 'want die liggen hierachter. De mensen in het dorp vertelden dat je er hier vroeger ook in kon, maar dat het nu te gevaarlijk is vanwege gasvorming en instortingsgevaar.'

Ze liep wat moeilijk en niet vanwege de stalagmieten en -tieten, alhoewel haar wonden, net als die van Mariska, de Schaduw waren meegevallen.

Het was niet de gang die hij met Isodorus was gekomen, maar een veel langere en zo mogelijk nog nauwere die in het souterrain van Huize Zanzibar uitkwam. Maar 't was de Schaduw al meteen opgevallen dat hij nog recentelijk was gebruikt, vanwege voetsporen in 't gruis en 't stof. Die, naar hij meende te zien in het schijnsel van de zaklamp, van twee volwassenen waren. De oude Dirckx? En Paddeke, die hier dan eens per maand naartoe zou zijn gegaan? Vanwege de schat?

Gratia en Poupette hadden willen weten waaróm 't schilderij van Von Schmalensee in het souterrain hing, maar Lotje wist niet meer dan dat de oude Dirckx het in zijn opdracht had gemaakt. Zoals Mariska had gezegd, 't was meer voorgekomen dat ijdele nazi's zich hadden laten portretteren, en de grootte ervan leek de Schaduw heel goed te passen bij de grootheidswaanzin van Von Schmalensee. Vermoedelijk was 't schilderij net af toen de geallieerden Limburg waren binnengetrokken en Von Schmalensee halsoverkop zijn biezen had gepakt.

En dus had 't al die jaren in Huize Zanzibar gehangen. Maar Mariska had met haar kennersoog onmiddellijk gezien dat de figuur van de jonge Paddeke die de sleutel ophield er weliswaar knap, maar toch aanzienlijk later in was geschilderd. En aangezien Dirckx direct na de oorlog met de kleine Johannes naar Australië was geëmigreerd om pas in 1985 weer terug te keren, en ook Huize Zanzibar dat jaar was opgeknapt, leed 't geen twijfel dat hij het schilderij toen had bijgewerkt. Als een sleutel voor de sleutel, want ook op de geschilderde sleutel stonden die raadselachtige letters RF.

Maar dan nog. Als Gratia in haar dodelijke val het schilderij niet had meegetrokken, zouden ze de gang erachter nooit hebben gevonden.

'Huu!' zei Mariska. 'Een vleermuis, doodenge beesten zijn het toch!'

En de Schaduw glimlachte, als zo vaak verwonderd om de vrouwelijke psyche die minstens even ondoorgrondelijk was als de wegen van haar Schepper. Immers net ontkomen aan een gruwelijke marteldood en dan nu bang voor een onschuldig diertje! En net terwijl hij zich afvroeg hoe vér en hoe lang het nog was, want naar zijn idee doolden ze nu al uren rond, en bovendien was hij een dorstige dolende, riep Mariska: 'Daar! Boven aan een trapje.'

En de Schaduw zag 't, een beschaduwd planken poortje waarop in het schijnsel van de lamp het bordje LEVENSGEVAARLIJK leesbaar was. Hij zocht naar het slot en zag dat het redelijk nieuw was, haalde dan de sleutel tevoorschijn, stak hem in het sleutelgat, en draaide. Hij duwde het deurtje open. En wilde, toch op zijn hoede, de lamp op de gapende duisternis richten toen de lichtstraal plotsklaps doofde.

'Wat is er?' vroeg Lotje angstig.

''k Had in batterijen moeten gaan!' zei de Schaduw. Hij zocht en vond in zijn jasje de zippo en klikte hem aan. En zag dan op ooghoogte een lichtschakelaar die, nadat hij hem had aangeknipt, heel langzaam een warm, mat schijnsel in de duisternis deed gloeien tot de ruimte uiteindelijk in een onwezenlijk licht baadde. Gedrieën staarden ze in doodse stilte en in opperste verbijstering naar een groot, niet ingelijst schilderij dat als een altaarstuk in het midden op een verhoging stond.

'De *Nachtwacht*!' fluisterde Lotje.

Ja, knikte de Schaduw, en een perfecte vervalsing ook, want hoe fraai had de oude Dirckx niet exact diezelfde schaduwpartijen en lichtval gekopieerd. Maar waarom stond het hier? Had Dirckx het voor een opdrachtgever bestemd en 't toch niet aangedurfd het te verkopen? De *Nachtwacht* immers, het meest unieke schilderij ter wereld, met een onschatbare waarde.

'Er is een stuk af!' zei Mariska. 'Aan de rechterkant. Want op het origineel staat daar een trommelaar vooraan met enkele schutters achter zich. Kijk maar, je ziet nu alleen nog een hand die wijst.'

Langzaam liep ze naar het schilderstuk toe. De Schaduw volgde en zag hoe ze met haar neus op nog geen centimeter afstand het doek bestudeerde. En óók dat ze gelijk had, want de rechterkant toonde over meer dan drie meter een rafelige rand alsof iemand er met een mes repen van af had gesneden.

'Vreemd,' zei Mariska zachtjes.

'Wat?' zei de Schaduw.

'Je zou toch zweren...' begon ze, maar zweeg dan en keek de Schaduw ongelovig aan.

'RF,' zei ze. 'Rembrandt *fecit*.'

'Huh?' zei de Schaduw.

'Rembrandt fecit! Rembrandt maakte het! Dat bedoelde Dirckx!'

'Wat?' zei Lotje. 'Wil je zeggen dat dit de echte *Nachtwacht* is?'

'Ik weet het niet,' aarzelde Mariska, 'maar een vervalsing is het zeker niet en dat er twéé echte *Nachtwachten* zouden...'

Opeens zweeg ze perplex.

'Wat?' zei de Schaduw.

'In 1941,' zei Mariska toonloos, haar ogen gefixeerd op het enorme doek, 'werd de *Nachtwacht* met een aantal andere kostbare schilderijen uit het Rijksmuseum in Amsterdam gehaald vanwege het risico van bombardementen. Ze werden uit de lijst gehaald en opgerold en aanvankelijk elders opgeborgen, maar niet veel later in grotten in Zuid-Limburg ondergebracht waar ze al die jaren tot de bevrijding hebben gelegen.'

'Hier,' zei de Schaduw zachtjes.

'Waarschijnlijk. Het verhaal ging dat Hitler en Göring dolgraag de *Nachtwacht* hadden gewild, maar het niet aandurfden omdat ze bang waren dat de Nederlanders dan massaal in opstand zouden komen.'

'Dan zouden Von Schmalensee en Bonnermann dus daarom hier zijn geweest,' zei de Schaduw peinzend, 'om Dirckx, die immers een meester-vervalser was, een kopie van de *Nachtwacht* te laten schilderen.'

'Maar,' zei Lotje verbluft, 'dan zou die kopie nu dus al die jaren in het Rijksmuseum hangen! Zou niemand daar dat dan hebben gezien? Het is toch ooit gerestaureerd en schoongemaakt? En door experts bekeken?'

'Vast,' zei de Schaduw. 'Maar dan? Wat doe je als je weet dat het pronkstuk van je collectie, waar alle bezoekers als eerste naar toe gaan, in feite een vervalsing is?' Hij glimlachte flauwtjes. 'Ik was vorige week met Noor nog in Amsterdam en ze was buitengewoon teleurgesteld dat het Rijksmuseum wordt verbouwd en pas over een paar jaar weer opengaat. Maar als bekend zou zijn dat de *Nachtwacht* een kopie is, kunnen ze het meteen weer sluiten!' Hij keek naar het doek. 'Le Veilleur,' zei hij. 'De *Nachtwacht*. Maar waarom hebben ze die rand eraf...'

En dan gilde Lotje. En draaide de Schaduw, het pistool al in de hand, zich met een ruk om. En staarde verbijsterd naar een buikige man in een paars leren motorpak die een rode motorhelm afzette en dan glimlachend naar hen toeliep.

'Prettig u te ontmoeten, commissaris,' zei de Walrus, 'en zeker hier. De naam is Smit, Simon Smit, hoofd beveiliging van het Amsterdamse Rijksmuseum.'

En terwijl de konijnen door 't duizelende hoofd van de Schaduw buitelden, staarde de Walrus eerbiedig naar het kolossale doek.

'De *Nachtwacht*,' prevelde hij. 'De echte! Eindelijk! Einde...'

'Schaduw?' galmde een stem hol uit de gang achter het poortje. 'Schaduw? Ben je daar ergens?'

En de Schaduw stond roerloos, want 't was een stem die hij maar al te goed kende, een stem die al tijdens zoveel avonturen en onder zoveel bizarre omstandigheden dat 'Schaduw?' had geroepen.

Silvère, dacht de Schaduw. Hoe kwam Silvère hier?

22

'Von Schmalensee,' zei de Schaduw, 'liet in opdracht van zijn Führer de *Nachtwacht* door Dirckx daar in 's-Heerendal kopiëren waar de echte *Nachtwacht* in de grotten lag opgeslagen. Dirkx was geen getalenteerd schilder, maar wel de beste vervalser van het land.' Hij stak een verse sigaar in de brand terwijl beneden het terras forellen floepten en de eerste kikkers en krekels zich opmaakten voor het nachtelijk concert.

'Zo ergens in de zomer van 1944 had Dirckx de kopie afgemaakt, maar zoals jullie weten was de Führer dat toen ook bijna. Von Schmalensee en Bonnermann besloten de *Nachtwacht* zelf te houden en ermee vandoor te gaan toen de geallieerde troepen naar Limburg oprukten.'

'Maar Paddeke had hetzelfde besloten,' zei Silvère, 'samen met August Loutertopf en Zibbedeus Zagwijn.'

'En met mijn oma,' zei Lotje.

'Juist,' zei de Schaduw. 'Niet te vergeten met Geertje. En graag, Hippo.'

Want Hippolyte had zojuist de dames ingeschonken en hield nu de Fontcreuse vragend op voor de Schaduw. En de Schaduw dronk en keek tevreden het gezelschap op het terras rond. Tevreden vooral in afwachting van de Filet de Boeuf. Maar zeker ook vanwege 't gezelschap, te weten Lotje, Mariska, Jean d'Aubry, Pompidou, de walrus Smit, Silvère en diens als altijd betoverend mooie vrouw Manon. Zodat twee van de aanwezigen, zijnde een bekend commissaris en een bekende oud-journalist, twee andere betoverend mooie eega's deerlijk misten, zijnde een bekend schrijfster en een al even bekende fotografe. En verder was 't de dag na de seizoensluiting van De Parel en was het dus een hoogst exclusief gezelschap.

'August,' zei de Schaduw smokend, 'had echter een ander idee. Of liever: twee. Hij wilde én zelf de *Nachtwacht* én Geertje, want vriend August mocht dan wel priester willen worden, maar 't zijn immers lang niet allen Heilige Antoniussen die 't kruisje slaan.'

'Dat kun je wel zeggen!' grijnsde Hippolyte. "k Hoorde net weer op het nieuws dat ze 't zelfs in de biechthokjes van de Notre Dame...'

'Hippolyte!' riep Bellefleur vanuit de keuken. 'De truffels!'

'Krijg nou wat,' zei Hippolyte sikkeneurig en hij rees gehoorzaam doch met kennelijke tegenzin op.

'Wist Paddeke toen dat Geertje zwanger van hem was?' vroeg Manon.

'Nee,' zei Lotje, 'niemand wist 't, behalve zij en mijn overgrootvader. De baby zou ook aan de nonnen worden gegeven.'

'Ze beviel,' zei de Schaduw, 'kort nadat August aan Von Schmalensee vertelde dat Paddeke en Zagwijn de *Nachtwacht* hadden gepikt. Wat heel goed had gekund, want Paddeke werkte toen in de Zanzibar en kon dus met gemak via de ondergrondse gang in de grot komen waar het schilderij lag. En 't schilderij wás ook gepikt, door August zelf, maar al ontkenden Paddeke en Zagwijn bij hoog en bij laag, Von Schmalensee stuurde ze naar 't concentratiekamp.'

'En August vluchtte daarna met Geertje,' zei Manon. 'Was haar zoontje toen al bij de nonnetjes?'

'Nee,' zei de Schaduw, 'ze meende dat het kind dood was. August vertelde haar namelijk dat Dirckx en haar zoontje Johannes waren omgekomen bij geallieerde beschietingen. Anders zou ze immers zijn gebleven.'

'Wat een rat!' zei Manon. 'Waar was Dirckx dan met het kind?'

'Gevlucht. Juist vanwege die beschietingen. Hij paste op het kind toen Geertje en August het schilderij in zijn busje stopten.'

'Wist hij ervan?' vroeg Mariska.

'Toen niet,' zei Lotje. 'Hij schreef in zijn brieven dat hij heel lang dacht dat Von Schmalensee het had.'

'Wat ook de bedoeling was,' zei de Schaduw, 'maar August was dus eerder en bovendien kregen Von Schmalensee en Bonnermann de Amerikanen en Canadezen op hun dak.'

'Dus August kon er in de chaos ongestoord mee vandoor,' zei Smit.

'Naar het al bevrijde Frankrijk,' zei de Schaduw, 'waar ze zich een tijdlang uit angst verborgen hebben gehouden.'

'Maar toch niet voor Von Schmalensee? Want die werd immers zelf gezocht,' zei Pompidou.

'Nee,' zei de Schaduw, 'en waarschijnlijk ook niet voor Paddeke en Zagwijn, want zoals je weet was Dachau de hel op aarde. Nee, ik denk dat August vooral bang was voor het Rijksmuseum.' Hij keek even naar Smit. 'Want ik neem toch aan dat ze de *Nachtwacht* daar wel even hebben bekeken nadat hij al die jaren onder de grond had gelegen.'

'O zeker,' zei Smit, wiens snor nog nadroop van de zojuist genoten oesters en die daardoor des te meer weghad van een voldane walrus. 'En wel door de toenmalige taxateur bij uitstek, geheten J. Dirckx. Want dat was 'ie al vóór de oorlog bij het Rijks, zie je.'

'Zó,' zei Silvère. 'En Dirckx hield natuurlijk wijselijk zijn snavel, anders zou hij zijn opgepakt wegens vervalsen.'

'Daarom trok hij ook niet veel later met Geertjes zoontje Johannes naar Australië,' zei de Schaduw. 'Hoewel dat ook uit verdriet was. August had Geertje namelijk niet alleen laten weten dat de kleine Johannes en Dirckx dood waren, maar omgekeerd aan Dirckx dat Geertje tijdens de vlucht in Frankrijk was omgekomen.'

'O?' zei Mariska. 'Waarom dat?'

'Omdat hij bang was dat Dirckx haar anders zou zijn gaan zoeken,' zei d'Aubry, 'en de waarheid alsnog uit zou komen.'

'Een *kingsize* rat dus,' schudde Manon het hoofd.

'Nog een halfuurtje,' zei Hippolyte. Hij zette twee ontkurkte flessen Fontcreuse op tafel en verdween weer naar binnen.

De Schaduw schonk de glazen bij en vertelde verder. 'Ergens in 1946 arriveerden August en Geertje in Sainte Chatelaine, waar de pastoor was omgekomen. Zodat August zich als de uit de Elzas gevluchtte père Jean Saurel aandiende bij de bisschop van Lille. Die hem met open armen ontving omdat August zei een geërfd kapitaal vermogen te willen besteden aan de herbouw van de kathedraal.'

'En hoe kwam hij er in werkelijkheid aan?' vroeg Manon.

'Van ons,' zei Smit somber, 'want de toenmalige directeur van het Rijks had een smalle reep beschilderd doek ontvangen met een briefje dat 't van de originele *Nachtwacht* afkomstig was. Plus de eis om een jaarlijks bedrag van één miljoen Nederlandse guldens over te maken naar een bankrekening van de Banque de Cantaloupe in

Lille als we niet wilden dat bekend zou worden dat onze *Nachtwacht* een kopie was.'

'Eén miljoen!' zei Pompidou verbluft. 'En dat betaalden jullie? Elk jaar?'

'O ja,' zei Smit, 'want zoals commissaris Carlier zo-even al zei, in 't andere geval hadden we de deuren meteen kunnen sluiten.'

Het was even stil, op 't floepen, kwaken en tsjirpen na alsmede de lokkende geluiden uit de keuken van gesis en gespetter.

'En wist Geertje dat?' vroeg Silvère.

'O ja,' zei de Schaduw. 'Ze zag het als genoegdoening voor haar doodgewaande kind en vader. Al meende ze dat August het geld uit piëteit aan de kathedraal besteedde.'

'Wat hij niet deed?'

'O nee. Want in de loop der jaren had hij een aardig kapitaal voor zichzelf gereserveerd dat hij, met het doek en zijn administratie, in de gerestaureerde tombe in de kathedraal verborg.'

'Hadden ze nou een verhouding met elkaar?' vroeg Pompidou.

'Ha!' zei de Schaduw. 'Pompidou! Altijd graag het naadje van de kous willen weten, en als 't kan letterlijk. Maar als ik de uitbaatster van 't plaatselijk café mag geloven, was 't níét zo en wijdde Geertje als zijn nicht Jeanine haar leven aan 't huishouden en de herinnering van de geliefde Paddeke.'

'Paddeke, die als een van de weinigen de hel dus wel had overleefd,' zei Silvère.

De Schaduw knikte. 'Net als Zagwijn. Naar ik begreep hebben ze eerst een tijdlang in een ziekenhuis gelegen. En toen ze eindelijk in het verwoeste 's-Heerendal terugkwamen, bleek er niemand meer te zijn. Dirckx was naar Australië met het kind waarvan Paddeke dus niets wist, August en Geertje waren spoorloos verdwenen. Maar natuurlijk hoorden ze dat Geertje in Frankrijk zou zijn omgekomen.'

'En wisten ze dat August het schilderij had gestolen?' vroeg Manon.

'Nee,' zei Lotje, 'al dachten ze er wel aan. Maar mijn opa Paddeke meende dat Von Schmalensee 't had. En omdat hij August niet kon vinden, ging hij naar Parijs, want Von Schmalensee had het in de Zanzibar vaak over zijn maîtresse daar gehad.'

'Poupette,' zei de Schaduw. 'Von Schmalensee was ook van plan geweest om na de oorlog met Poupette ergens veilig in Zuid-Amerika in een liefdesnestje naar de *Nachtwacht* te kijken. En dus zocht Paddeke Poupette op, die hem bezwoer van niets te weten.'

'Maar ondertussen!' zei Mariska.

'Maar die ondertussen,' zei de Schaduw, 'altijd nog contact had met haar geliefde Von Schmalensee, die onder de naam van de graaf von Schweinfürstendum nog steeds dacht dat Paddeke en Zagwijn hem hadden bestolen. Maar van Poupette dus hoorde hoe de vork aan de steel zat.'

'En Zagwijn?' vroeg Manon.

'Zagwijn gaf 't op,' zei de Schaduw, 'en vestigde zich in de Ardennen waar hij Aetherus begon. Paddeke bleef echter zoeken, samen met Poupette, al wist hij niet dat ze alleen maar bij hem bleef vanwege Von Schmalensee daar in Duitsland.'

Hij zweeg en tuurde naar een zwerm ganzen die in V-vorm tegen de donkerende hemel oostwaarts vloog en vroeg zich af waar Eleonora nu in datzelfde Duitsland zat. En waarom ze, evenmin als Madeleine, niet terugbelde sinds hij en d'Aubry op de respectievelijke voicemails hadden ingesproken. En hij besloot 't straks nog eens te proberen.

'Maar op 4 april 1963,' zei hij, 'kreeg Paddeke de schok van zijn leven toen hij naar het nieuws keek, en wel naar de plechtige inwijding van de herbouwde kathedraal in Sainte Chatelaine. Al zal hem dát geen donder hebben geïnteresseerd. En 't was wat je noemt een tweetrapsschok, want niet alleen herkende hij August in 't gewaad van de plaatselijke pastoor Saurel, maar ook de al zo lang doodgewaande Geertje. En toen hij besefte dat 't geen zinsbegoocheling was, moet hij begrepen hebben hoe 't zat. En was hij weg.'

'Zonder het Poupette te vertellen,' zei Silvère.

'Natuurlijk,' zei de Schaduw. 'Zelfs geen briefje achtergelaten dat hij even een pakje sigaretten was gaan halen. Geertje was immers zijn alles.' Hij schonk zich bij en nam nadenkend een teugje. 'Dus restte Poupette niets anders dan naar Schweinfürstendum te gaan, waar ze gravin werd en stiefmoeder van Von Schmalensees Gratia. En reken maar dat ze nog jaren tevergeefs naar Paddeke zochten, want Poupette moet hebben begrepen dat hij de *Nachtwacht* op het spoor was.'

'Wat Zagwijn al meteen had geweten,' zei Mariska.

'Ja. Want ook hij had dat nieuws gezien. En hij was zelfs nog sneller dan Paddeke naar Sainte Chatelaine gegaan, al meteen na de inwijding van de kathedraal. Volgens madame Mimi, de uitbaatster van het café ernaast, was er die nacht een auto bij de pastorie gestopt en had ze vervolgens een man achter August aan de kerk binnen zien rennen. Een man met een haakneus en een wijnvlek op z'n facie. Zagwijn dus. Maar August ontsnapte hem en zocht zijn toevlucht in een van de torens, waar hij vanaf viel toen hij het dak op wilde. Waarop Zagwijn er in paniek vandoor ging toen Geertje gealarmeerd naar buiten kwam. En zich als de vrouwen bij het graf van Lazarus dood moet zijn geschrokken omdat Paddeke daar net arriveerde.'

En daar was Hippolyte weer, grijnzend van 't ene naar 't andere flapoor. En met een blocnoteje in de hand.

'Schaduw!' zei Hippolyte, 'je liefje belde net. Ze heeft mobiel geen bereik, maar je hoeft je geen zorgen te maken en d'Aubry ook niet want alles is pico bello en ze proberen 't wel weer.'

'Ah,' zei d'Aubry, 'eindelijk! En wáár zijn ze dan?'

'Dat,' zei Hippolyte, 'vraag ik nooit aan dames want 't is zo opdringerig, weet je. En als 't mag, wilde ik nu even noteren wie 'm "à la Bourguignonne" wil, wie "à l'Amiral", "En croûte", "à la Corsoise", "à la Gardiane" of "à l'Empereur".'

Opgelucht schonk de Schaduw de glazen weer vol terwijl Hippolyte het allemaal opschreef en in de verte de kerkklok van Sainte Angélique tien uur begon te slaan en ergens beneden het terras het varken l'Empereur knorrend wakker schoot. Waarop Hippolyte verdween, en Bellefleur verscheen, de wangen nog rood van 't fornuis, en gretig knikte toen de Schaduw vragend de Fontcreuse ophield. Waarna hij Lotje vroeg om 't van hem over te nemen.

'Mijn opa Paddeke en oma Geertje doken enkele maanden onder,' zei Lotje, 'tot 't weer rustig was in Sainte Chatelaine en August in zijn tombe lag. Waaronder dus al die tijd de *Nachtwacht* had gelegen, maar ook Augusts kapitaal en de informatie over de rekeningen waarop het Rijksmuseum al die jaren het geld had gestort. Maar hoe precies hij zich steeds toegang had verschaft tot die tombe wist Geertje niet, zodat Paddeke op een nacht de dekplaat stuksloeg. Hij haalde alles eruit en kocht samen met haar hier in de buurt van Sainte Angélique een villa.'

'Als de rentenierende monsieur en madame Le Veilleur,' glimlachte d'Aubry, 'oftewel meneer en mevrouw *Nachtwacht*. Nogal brutaal, nietwaar?'

'Ik denk dat het eerder trots was,' zei Silvère. 'Trots dat ze elkaar en de *Nachtwacht* dan eindelijk toch hadden.' Hij keek naar Smit, die een kolossale pijp onder de kolossale snor aanstak. 'En chanteerde Paddeke jullie ook?'

'Nee,' dampte Smit. 'Daarom dachten wij dat de chanteur dood en begraven was. Wat aan de ene kant verheugend was, maar aan de andere kant juist niet, want daarmee was 't geheim waar de echte *Nachtwacht* zich bevond, mogelijk mét hem mee begraven. Al die jaren hadden we er tevergeefs naar gezocht.'

'Ook in 't geheim,' zei Silvère, 'omdat het niet bekend mocht worden.'

'Precies,' knikte Smit. 'En zo zochten we ook naar Dirckx. Want 't was immers nogal vreemd dat hij de kopie als de echte had getaxeerd en vervolgens was verdwenen. Eerlijk gezegd dachten we dat ook hij dood was. En... verdomme! Wat doet u nu, mevrouw?'

'Excuses,' zei Bellefleur. Ze zette 't lege wijnglas terug en stak hem een servet toe. 'Maar uw snor brandde. En mij kan 't niet schelen, hoor, maar 't stáát zo slordig, hè?'

'Mijn overgrootvader kwam in 1986 terug,' zei Lotje nadat het gelach was verstomd en Smit zich had droog gewreven, 'en om dezelfde reden waarom hij was vertrokken: uit verdriet. Want zijn zoon Johannes, mijn vader dus, was daar in Australië verongelukt en mijn moeder had na de scheiding geen contact meer gewild. Ik wist ook niet waar mijn overgrootvader was of dat hij nog leefde.'

'Net als wij,' mompelde Smit mismoedig.

'Maar een maand geleden wilde ik toch naar dat 's-Heerendal waar mijn vader was geboren, en hoorde daar tot mijn stomme verbazing dat hij daar al die tijd als een kluizenaar in Huize Zanzibar had gewoond. En helaas onlangs was overleden.'

'Net dus als toen je je grootvader Paddeke in Deo Volente wilde bezoeken,' zei de Schaduw, die zich herinnerde dat Yvette daar had verteld hoe Lotje 'te laat!' had gemompeld.

'Ja,' zei ze, 'en 't bleek dat hij al die jaren brieven aan me had geschreven, ook al kon hij ze niet aan me versturen omdat hij evenmin wist waar ík was. En in die brieven stond dat...' En kennelijk werd de ontroering haar even te machtig want ze snifde, zodat Smit haar haastig de servet toestak.

'Hij wist dat zijn dochter Geertje nog leefde,' vulde de Schaduw aan.

Ja, knikte Lotje en ze nam een slokje.

'Maar hoe dan?' vroeg Bellefleur verwonderd.

'Van Zagwijn,' zei de Schaduw, 'want Zagwijn had Geertje immers die nacht in 1963 in Sainte Chatelaine gezien! En waarschijnlijk ook Paddeke. En Zagwijn had ongetwijfeld ook gehoord over de stukgeslagen tombe.'

'Maar hoe wist Zagwijn dan dat Dirckx weer terug was?'

'Isodorus,' zei de Schaduw. 'Isodorus Smalbil.'

'Schaduw!' protesteerde Manon, ''t duizelt me, weet je! En niet van de wijn. Wat heeft Isodorus Smalbil er in vredesnaam mee van doen?'

'Ah,' zei de Schaduw, 'da's waar ook. Jij kent hem nog uit de tijd dat je 't enig vrouwelijk lid van onze Speciale Brigade was. Welaan, *chère* Manon, dan weet je nog dat Isodoor naargelang zijn aard alles verhandelde wat vals en verboden was, waaronder niet in de laatste plaats Valse Meesters. En aangezien Dirckx ze maakte, die valse meesters, was 't dikke mik tussen die twee toen Dirckx terugkwam en geld nodig had. En omdat Isodorus Zagwijn kende... en zodoende.'

'Zagwijn zocht Dirckx dus op?'

'Ja. Vanwege de *Nachtwacht*. Dirckx wist daar echter niets van en meende nog immer dat Von Schmalensee hem had.'

'En hoe,' vroeg Pompidou, 'kwam Dirckx er dan achter dat Geertje en Paddeke als monsieur en madame Le Veilleur hier in Sainte Angélique met die *Nachtwacht* zaten?'

'Dat deed hij niet,' zei Lotje. 'Maar...'

'Alvast wat te kluiven,' zwaaide Hippolyte een schaal vol kwartelpootjes op tafel, 'want 't duurt wat langer dan was voorzien, maar aangezien jelui hier toch slaapt...'

En hij was alweer weg, hoewel het de Schaduw niet was ontgaan dat hij even naar Bellefleur had geknipoogd of wat daar bij Hippo voor door moest gaan. Waarschijnlijk was 't Hippo's blijk van genegenheid, besloot hij, en hij pakte een van de goddelijk geurende pootjes.

'Maar net als ik vorige maand,' vervolgde Lotje, 'kwamen Paddeke en Geertje naar 's-Heerendal, in 1988, uit heimwee. En waarom ook niet? Er waren meer dan veertig jaar voorbijgegaan, het dorp was veranderd en zij ook, een ouder Frans echtpaar dat een kijkje nam.'

'En daar zagen ze Dirckx,' zei Manon. 'En Dirckx hen!'

''t Lijkt de Jongste Dag wel,' zei Pompidou. 'De ene na de andere dode die uit 't graf oprijst!'

'Ja,' zei Lotje, 'want opa Paddeke wilde nog zo graag de oude Zanzibar bezoeken. Die overigens een ruïne was.'

Ze doofde haar sigaret en pakte een kwartelpootje. 'Je kunt je voorstellen hoe verdrietig Geertje en Paddeke waren toen ze hoorden dat hun zoon Johannes was omgekomen. Maar ook hoe dolblij dat ik, hun kleinkind, ergens in Australië woonde.'

De Schaduw knikte en dacht aan het fotootje van het meisje dat Yvette in Paddekes paspoort had gevonden.

'En hebben ze dan niet naar je gezocht?' vroeg Bellefleur.

'Ik weet het niet. In elk geval hebben ze me niet gevonden.'

'En ze waren natuurlijk nog steeds bang,' zei Silvère, 'dat iemand achter de waarheid zou komen. Von Schmalensee bijvoorbeeld. Of Zagwijn.'

Precies, knikte Lotje kluivend. 'En dat was ook de reden dat hun adres niet in de brieven stond, want overgrootvader wist immers niet of ik ze ooit zou lezen, of iemand anders. Maar Paddeke liet wel de Zanzibar opknappen en verbouwen tot Huize Zanzibar, waar de oude Dirckx zijn intrek nam.'

Afwachtend keek ze naar de Schaduw, die 't pootje met een fikse teug Fontcreuse wegspoelde en dan de gedoofde sigaar aanstak.

'En zo bleef alles een tijdje hetzelfde,' zei de Schaduw, 'tot Geertje stierf. En Paddeke besloot de villa te verkopen en zijn intrek in Deo Volente te nemen. De villa waar al die jaren de *Nachtwacht* had gehangen. Die dus een probleem was.'

'Wat hij oploste door het doek terug naar 's-Heerendal te brengen,' riep Mariska, 'naar de grot waar de oude Dirckx hem ooit kopieerde, achter Huize Zanzibar!'

191

'Zo is 't,' zei de Schaduw. 'En daarom ging Paddeke ook eens per maand dat weekeinde erheen, om er samen met zijn schoonvader naar te kijken en over Geertje te praten. En...' hij keek weer naar Lotje, '... over jou, want je was per slot zijn enig erfgename. En vandaar dat hij aan zijn memoires begon en bij 't testament de envelop met de sleutel van Huize Zanzibar voegde.'

'En ik had de brieven en de foto,' zei Lotje, 'want daar immers staan hij en oma op, niet ver van de Zanzibar.'

De Schaduw herinnerde zich het huis op de foto waarop nog net het woordje BAR leesbaar was.

'Natuurlijk wilde ik dolgraag weten waar mijn grootvader Paddeke was,' vervolgde Lotje. 'En wie mijn overgrootvader Johannes was geweest. In zijn brieven stonden wel namen, maar daar kwam ik niet verder mee. Dus ging ik eerst naar het Rijksmuseum waar mijn overgrootvader immers voor had gewerkt en sprak daar meneer Smit hier.'

'Die,' zei Smit, 'de hoop allang had opgegeven, net als iedereen die ervan wist. Maar omdat Dirckx over Loutertopf en Paddeke schreef, begrepen we een beetje hoe 't moest zijn gegaan. Alleen niet waar die Paddeke was. En dus de *Nachtwacht*.'

'En daarom besloot je Lotje te volgen,' zei d'Aubry en hij keek dan naar Lotje. 'En jij kwam erachter dat Paddeke nog een neef in Duitsland had, Schwoppeke Uijenkruijer.'

'Ja,' zei Lotje. 'Ik belde hem. Hij had Paddeke echter al in geen jaren gezien, maar wilde me graag ontmoeten en sprak daarom met me af omdat we allebei in Parijs moesten zijn.'

'Toevallig,' zei Manon.

'Nee,' zei de Schaduw. 'Schwoppeke moest er namelijk zijn voor de uienhandel en Lotje omdat ze ook De Cantaloupe had gebeld, is 't niet? Want Paddeke maakte geld over naar je overgrootvader vanuit de Banque de Cantaloupe in Lille, en dus dacht je zo achter zijn adres te kunnen komen.'

'Maar kon je dan zomaar markies De Cantaloupe bellen?' vroeg Bellefleur verbaasd.

'Nee,' zei Lotje. 'Maar zijn naam stond ook in de administratie van mijn overgrootvader, want De Cantaloupe had weleens schilderijen van hem gekocht.'

'Natuurlijk!' zei de Schaduw. 'En daar betreedt broeder Isodoor weer het podium! Want hij verkocht ze aan De Cantaloupe!'

'Schaduw!' waarschuwde Manon hoofdschuddend, maar de Schaduw zág 't en hóórde 't niet. 'De Cantaloupe die, vals of niet, Hollandse meesters verzamelde zoals een puber puistjes. Die mogelijk van Isodoor over de *Nachtwacht* had gehoord, die 't op zijn beurt weer had van Zibbedeus Zagwijn. En wist De Cantaloupe waar Paddeke woonde?'

Lotje schudde haar hoofd. 'Niet toen ik hem belde. Maar hij zou 't uitzoeken aan de hand van die rekeningen. En daarom sprak hij wat later met me af in Le Cheval Blanc.'

'En hoe wisten Zagwijn en Lumina dat dan?' vroeg Silvère.

'Van mij,' zei Mariska somber, 'want Lotje had mij ook gebeld. Ik had Dirckx namelijk een keer over Von Schmalensee gesproken. En ook Zagwijn.'

'Zagwijn ontkende er iets van te weten,' zei de Schaduw, 'maar reken maar dat zijn hele spirituele santenkraam op hol sloeg toen hij hoorde dat De Cantaloupe mogelijk wist waar Paddeke zat. En de champagne ontkurkte. De *Nachtwacht*, eindelijk, na al die jaren sinds die nacht in Sainte Chatelaine!'

'Dat ik 't crapuultje ooit geloofd heb!' verzuchtte Mariska.

De Schaduw glimlachte, maar hield toch wijselijk een opmerking binnen over gelovigen en blindengeleidehonden.

'Maar,' zei hij, 'omdat De Cantaloupe zo schuw was als een oehoe in de broedtijd en bovendien beveiligd werd als zijn eigen bankkluis, had hij Isodorus nodig die hij immers goed kende. Isodorus echter turfde de dagen in 't staatshotel in Saint Quentin omdat een paar jaar eerder de hoogmis nogal misging.'

'Verdomd!' grijnsde Silvère. 'Die ouwels! 'k Zie 'm nog, die bisschop die de hemelvaart vanaf de kansel...'

'Jongens!' zei Manon. 'En ga alsjeblieft verder, wil je Schaduw?'

'Niet in detail,' zei de Schaduw, 'want 't is nogal onsmakelijk, weet je, hoe Isodoor op z'n vrije platvoeten kwam. Hoe dan ook, Lumina en Isodoor maakten eveneens een afspraak met De Cantaloupe in Le Cheval Blanc, en wel over een zeldzaam ijslandschapje, en een uur eerder dan Lotje. De Cantaloupe kreeg vervolgens een telefoontje dat hem in grote opwinding bracht. Van Zagwijn die buiten in een donkerblauwe Peugeot zat, bestuurd door een eenogige kornuit van broeder Isodorus.'

'Klopt,' zei Smit, 'want hij reed me bijna van de sokken toen ik het Dafje van Lotje ernaartoe volgde.'

'Ach,' keek de Schaduw op, want hij kon zich niet herinneren toen vanaf d'Aubry's terras ook de motor te hebben gezien. Maar 't was ook druk geweest en het barstte daar tegen die tijd immers van de paradijsvogels.

'En waarom was De Cantaloupe dan zo opgewonden dat 'ie naar buiten ging?' vroeg Manon.

'Omdat Zagwijn zei dat Lotje bij hem was,' zei de Schaduw, 'en dat Lotje wist waar de *Nachtwacht* zich bevond. 't Ultieme lokmiddel voor De Cantaloupe, die meende met zijn neus in de boter te vallen, wat echter een beëtherde zakdoek bleek in het kader van de Aetheriaanse cursus Het Loslaten van het Ik. Waarna de Ik weer bijkwam in het appartement van Lumina. Maar kennelijk zweeg, áls hij al wist waar Paddeke woonde, zodat de eenogige opdracht kreeg hem dat zwijgen voorgoed op te leggen. En verder had 't toch niet uitgemaakt want Paddeke zweeg toen zelf al sinds enkele dagen.'

Waarop ook hij even zweeg omdat Lotjes ogen zich vulden met tranen.

'Vermoord,' fluisterde ze.

Ja, knikte de Schaduw. 'Net als Schwoppeke. Schwoppeke namelijk had eerder aan tante Poupette verteld een brief van oom Paddeke te hebben ontvangen. Zodat ook Poupette, net als Zagwijn, de champagne áán en Zombo met Gratia úít liet rukken.'

'Naar Deo Volente,' zei d'Aubry, 'en eerder dan Schwoppeke.'

'O ja,' zei de Schaduw, 'veel eerder. Want Schwoppeke had eerst nog zaken te doen. En Lotje zat nog in 's-Heerendal. En ik neem aan dat Gratia Paddeke dwong haar te vertellen waar de *Nachtwacht* was en dat Paddeke zich verzette, waarbij hij haar ketting afrukte maar natuurlijk geen partij voor haar en Zombo was.'

Lotje staarde voor zich uit en de Schaduw legde medelijdend een hand op de hare.

'Maar Poupette,' zei Silvère, 'wist dus niets van Lotje of de Zagwijnen.'

'Nee. En ook omgekeerd niet. Hun wegen kruisten zich pas veel later nadat ook Schwoppeke dood was.'

'Vanwege de memoires,' zei Lotje toonloos.

'Ja. Gratia hoorde dat ze na Paddekes crematie gevonden waren en aan Schwoppeke waren gegeven. Die ze meenam naar Parijs, maar ze vanwege 't Frans niet kon lezen. Wél echter de namen van Bonnermann, Von Schmalensee en August Loutertopf, namen die ook achter op de foto stonden. Weshalve Schwoppeke naar d'Aubry ging, die immers veel over Bonnermann had geschreven en daar een zekere Carlier ontmoette. Die wat later Schwoppeke vermoord in bad aantrof en dolgraag een zekere Lotje wilde spreken die die avond een afspraak met Schwoppeke had, maar was verdwenen.' Hij nam het laatste teugje en blikte nieuwsgierig naar Smit. 'En waar was jij dan? En wist je wie ik was?'

'O ja,' zei Smit. 'En vandaar. Want ik zag Lotje bij Le Cheval Blanc met de portier praten en dan weer in haar Dafje stappen. Zodat ik concludeerde dat haar afspraak niet doorging. Ik volgde haar naar 't Bellevue, waar ze 's ochtends had ingeboekt. Ik dacht dat de afspraak dan misschien daar zou zijn. Dus wachtte ik om te kijken wie er naar buiten zou komen. Maar zag jou er tot mijn verbazing naar binnen gaan. En waar de Schaduw is...'

'... juicht heel het huisgezin,' zei de Schaduw. 'En daarom volgde je me, want je dacht dat ik er meer van wist. Wat niet het geval was, maar dat kon jij niet weten. En hoe wist je dat ik me als Schwoppeke naar het notariskantoor begaf?'

'Dat wist ik niet,' zei Smit en hij knikte naar de duistere overkant van het riviertje. 'Ik zat daar in het zonnetje en zag een mannetje met een kuifje naar het stadje wandelen. Maar niet veel later zag ik ook een zwarte Porsche Cayenne die kant uitgaan. En die Cayenne was me al eerder bij Le Cheval Blanc opgevallen, want hij had een opvallend Belgisch nummerbord...'

'BBQ-333,' zei de Schaduw.

'Juist,' zei Smit. 'Dus ik wilde er 't mijne van weten en volgde 'm naar het marktplein. Waar dezelfde vent met dat ene oog uitstapte die ik eerder in die Peugeot bij Le Cheval Blanc had gezien. Dus liet ik dat mannetje voor wat 'ie was, ook al omdat 'ie vast terug zou gaan naar De Parel, en ik wachtte...'

'... en je zag Pierlala met Paddekes testament uit het notariskantoor rennen en in die Cayenne springen zodat je daar achteraan ging. Naar Aetherus.'

'Zo is 't,' zei Smit en hij knikte naar Mariska, 'waar ik haar met jou de volgende dag in een Citroën zag stappen en vervolgens in een oude MG. En dus...'

'En vandaar,' zei de Schaduw, 'want de rest is een open boek al moet 't nog worden geschreven.'

En hij zweeg weer, omdat ergens onder 't gefloep en gekwaak en gestrijk het geronk van een auto klonk. Wat meer een gezoef was. Dat hij even meende te herkennen. Maar dan weergalmde de *Danse Macabre* en nam hij op.

En 't was Croquebol, dat knoestige factotum dat hem al zoveel jaren zo trouw diende, die vanuit Villa des Ombres narrig informeerde of en wanneer die Silvère met die vrouw van 'm nog langskwamen vanwege alle gedonder met spijs en de drank en schone lakens en de handdoeken. 'Kortom,' gromde Croquebol, 'de hele bliksemse bende terwijl jij daar mooi weer speelt.'

En de Schaduw zei dat 't wel meeviel, met dat weer, en dat niet alleen Silvère en zijn vrouw er morgen zouden zijn maar de héle bliksemse bende die uit drie dames en vier heren bestond, te weten Silvère, Manon, d'Aubry, Pompidou, Lotje, Mariska en ondergetekende. En of Theresa dan zo goed wilde zijn voor die zeven haar vorstelijke Beucelle du Tour te bereiden alsmede de even vorstelijke Salade Folle.

'Hmmpfr,' zei Croquebol. 'En Noor?'

'Noor?' zei de Schaduw, 'ligt mogen we hopen op één oor en...'

En dan viel hij verbijsterd stil. Want hij zág Noor. In de deuropening van de keuken, en naast haar Madeleine die lachend haar camera richtte en riep dat ze allemaal naar 't vogeltje moesten kijken. En op 't zelfde moment dat Hippolyte achter hen weer knipoogde, barstte onder het terras het duizendkoppig concert der krekels los boven 't gekwaak en gefloep.

'En waar zit je?' schreeuwde Croquebol. 'Want 't klinkt daar als 't Laatste Oordeel, weet je.'

'In de zevende hemel,' zei de Schaduw, 'en maak er négen Beucelles en Folles van, wil je?'

En hing op. En stónd op. En omhelsde Noor die verbaasd naar Silvère en Manon keek en vroeg waarom ze niet in in Villa des Ombres waren.

'Er kwam wat tussen,' zei de Schaduw.

Waarop Madeleine d'Aubry kuste en nog een foto van 't gezelschap wilde maken.

Vanwege 't rembrandteske licht.

'O darling,' zei Eleonora, 'over Rembrandt gesproken! We waren daar in Duitsland in een kasteeltje waar je rondleidingen kon krijgen... Hoe heette het ook alweer, Madeleine?'

'Schweinfürstendum,' zei Madeleine terwijl ze de camera instelde.

'Ja,' zei Eleonora. 'Schweinfürstendum. En geloof het of niet, darling, want ik weet hoe sceptisch je kunt zijn, maar er hing daar een kopie van Rembrandts *Joodse Bruidje* en je zou zweren dat het het origineel was! Wat natuurlijk niet kan, want 't hangt immers in het Rijksmuseum in Amsterdam!'

Waarop ze opkeek vanwege gegorgel en geschrokken naar de wit weggetrokken Smit keek, die de Schaduw nu aan een stervende walrus deed denken.

'Is er wat?' vroeg Eleonora bezorgd.

'Oesters,' zei de Schaduw haastig. ''t Zijn net mensen, weet je. Je denkt dat 't wel goed zit, maar...'

'Moet! Bellen!' gorgelde Smit, kwam verwilderd overeind en verdween naar binnen.

'Wie is hij?' vroeg Eleonora verwonderd.

'Dat,' zei de Schaduw, 'vertel ik je later nog wel. Hippo, de glazen!'

Die Hippolyte al vol bleek te hebben geschonken, zodat ze even later hoog naar de sterrenhemel geheven werden.

'Cheerio!' zei de Schaduw. 'En een toost op ons allen. En op 't nieuwe boek van de lieve Noor en Madeleine!'

Hij dronk en kuste Eleonora opnieuw. 'En heb je 'n idee kunnen opdoen, chérie?'

'En of!' zei Eleonora, 'want we hoorden daar op dat Schweinfürstendum een bizar verhaal over de laatste kasteelheer die jaren naar een schat zou hebben gezocht.'

'Een schat?' herhaalde de Schaduw wezenloos.

'Ja,' zei Eleonora. 'En ik denk dat het om de Graal ging, want hij zocht hem in Frankrijk. En gek genoeg in dat Sainte Chatelaine, herinner je je? Waar die arme pastoor toen van de toren van de kathedraal viel. De heilige Katelijne zou de Graal in haar bezit hebben gehad. En nog gekker, darling, is dat die graaf Von Schweinfürstendum jaren later uitgerekend hier ergens in de buurt verdween.'

'Huh?' zei de Schaduw.

'Ja,' zei Eleonora weer. 'Hij had in het dorp de weg gevraagd naar een oude man in een villa, maar die zei dat hij daar nooit was aangekomen. En diezelfde nacht, darling, brandde die villa af! Ik wil Jean straks vragen of hij er nog iets over weet, want vind je 't niet merkwaardig?'

Hóógst, wilde de Schaduw verbijsterd zeggen, maar juist op dat moment barstten beneden hen kikkers en krekels spontaan en luidruchtig uit in het slotconcert. Waar Hippolyte bovenuit brulde dat ze aan tafel konden.

Lees nu ook uit de Zwarte Beertjes-reeks

Havank Ross
Caribisch complot

ISBN 978 90 461 1380 6

Het begon met de ontvoering van een Amsterdamse biermagnaat en leek te
eindigen met de mysterieuze dood van een kroongetuige. Maar de zaak-
Willem H., een van de meest spraakmakende rechtszaken uit de
Nederlandse geschiedenis, krijgt een onverwachte ontknoping wanneer de
hulp wordt ingeroepen van commissaris Charles C.M. Carlier, beter bekend
als 'de Schaduw'. Die 't allemaal 'Merkwaardig' vindt.
Om niet te zeggen 'Hoogst merkwaardig'.